腰・膝・股関節の痛みを改善！

治療家のための
つるた療法
実践読本

鶴田 昇

NOBORU TSURUTA

幻冬舎MC

腰・膝・股関節の痛みを改善！

治療家のための
つるた療法
実践読本

はじめに

　腰痛、膝痛、股関節痛に肩の痛み。これらは国民病などとも呼ばれ、経験がないという人を探すのが難しいほど、ありふれた症状です。

　整形外科や、鍼灸・整体といった治療院は、常にこうした慢性の痛みを抱えた患者で溢れています。しかし、なかなかすっきりと治らないどころか、体に負担の大きい手術を勧められるなど、心身ともさらに傷つくケースが後を絶ちません。なぜ、このようなことが起こってしまうのでしょうか。

　整形外科の場合、レントゲンなどの画像検査を通して骨に異常がないかをみます。そして、股関節や膝関節の変形を見つけると、これが痛みの原因であると決めつけ、骨や関節の変形は進行性なのでいずれは手術、と宣告するのです。

　肝心の痛みに対しては湿布や鎮痛薬などの対症療法のみで、薬が切れれば痛みはぶりかえします。患者さんは痛みから解放されないまま医療機関に通い続け、挙句の果てに手術で人工関節を入れたものの動作に制限が出たり、今度は反対側が痛むなど、幸せな解決をみずに泣き寝入りせざるを得ないことも少なくありません。

　一方、整体や鍼灸といった治療院ではどうかといえば、現代の日本では"玉石混交"と言わざるを得ません。昔は突出した腕をもつ"大先生"から弟子へと、優れた治療技術が受け継がれていったものでしたが、現代では業界や治療院ごとに技術のマニュアル化が進み、高みを目指し研鑽する機会が少なくなっているのが実情です。

　かといって、慢性の痛みを確実かつ速やかに緩和するメソッドが確立されているわけでもなく、それどころか、なかには治療とは名ばかりで慰安目的のマッサージに終始している施設もあると聞きます。

この本を手にしてくださっている方のなかには目の前の患者さんがなかなか良くならない現実に対し、痛みをもっと劇的に緩和へと導くアプローチはないものだろうか、と探している治療家も多いのではないでしょうか。

私はボクシングトレーナーから治療家に転向し、10年にわたってスポーツによる障害をケアするスポーツ整体を行っていました。そんななか、ある患者への施術をきっかけに、**「腰・膝・股関節などの痛みは、腸腰筋と呼ばれる筋肉の疲労が原因である」**ことに気づき、独自の手技で自然治癒力を引き出す「つるた療法」を編み出しました。以来、施術例は7,500件以上にのぼり、現在は口コミで私のもとを訪れる患者が後を絶ちません。予約は次月先まで埋まっている状況です。

つるた療法の基本的な考え方は、痛みのそもそもの原因は骨ではない、ということです。痛みの原因が骨にあると判断し、人工関節などの手術で改善しようとする人は多くいますが、手術では治らないことが多々あります。治らないだけでなく、取り返しのつかない状態に患者を追い込んでいるケースも私は目の当たりにしてきました。一方、つるた療法は、手術なしで痛みを改善、消失へと導けるのです。

さらに、つるた療法はこの20年ほど進化を続け、肩関節など上半身の痛み、およびメンタル面の不調に対する手技も加わり、多くの方に喜んでいただけています。

患者を悩ます不調がこのつるた療法により、手術なし、薬不要で

3

軽減、消失へと導けるのです。

　本書は、そんなつるた療法の理論および手技をあますところなくあらわした、初の実践本です。

　つるた療法は、特別な才能も資格も必要とせず、誰でも習得できる施術です。今までにも治療家のみならず、一般の方も、ご家族のケアをしたいといった理由で多数、当院での研修を受けて実践しています。

　しかし研修を受けたくても、当院まで通えない方もいます。そこで、そうした方も含め、つるた療法を習得したいと願うすべての方に向けて、書籍の形でその技法をお伝えしたいと、本書をあらわすに至りました。

　今まで当院で研修を受けたことがある方はもちろん、ない方でも、本書をテキストとしてご自宅で練習し、習得できる内容になっています。

　手術不要で長年の痛みを解決に導けるつるた療法を、一人でも多くの方に知っていただき、普及につながれば、これにまさる喜びはありません。

目次

序　章

消せない痛み、減らない患者

西洋医学的アプローチが治療難民を生み出す

第 1 章

治療難民を救う！

「患部」と「原因」をつきとめて
ピンポイントでアプローチする「つるた療法」とは

第2章

「つるた療法」実践に必須

筋肉と骨格の基礎知識

第3章

「つるた療法」実践編1──痛みを改善する準備

リンパマッサージで体内の老廃物を流す

第4章

「つるた療法」実践編2——下肢の手当て

「腸腰筋」の疲労を回復させて腰・膝・股関節の痛みを改善

第5章

「つるた療法」実践編3——上肢の手当て

「むちうち症」を解消して肩、腕、背中の痛みを改善

第6章

「つるた療法」実践編 4──ストレスコントロール

ストレスを軽減して痛みを改善

第7章

「つるた療法」応用編──患者さんに教えてあげよう

手当て療法の効果を高めるセルフトレーニング

西洋医学的アプローチが
治療難民を生み出す

腰痛、膝痛、股関節痛は
日本の国民病

　男性で1位、女性で2位——これは体の不調で「腰痛」が占める順位です。

　日本の腰痛人口は約2,800万人、膝痛は700万人ともいわれています。股関節痛も高齢者を中心に増えており、これらを併せ持っている人も少なくありません。

　こうした数値を出すまでもなく、治療家の皆さんのもとには連日のように、こうした症状で来られる患者さんが大勢いることでしょう。

　北茅ケ崎に開業して20余年になる私の治療院にも、腰痛、膝痛、股関節痛に代表される体の痛みを訴えて来られる患者さんは増える一方です。

　高齢者だけではありません。働き盛りのビジネスパーソンや育ち盛りのお子さんの来院も、一昔前と比べ確実に目立ってきています。あらゆる年代の人が不快な痛みに悩み、日々の生活でつらい思いをしているのです。

　生活はどんどん便利になる一方なのに、それで楽になるどころか痛みを訴える患者さんが増えている……これはどういうことなのでしょうか。

　わが国では65歳以上が高齢者、75歳以上が後期高齢者と定義されていますが、これらの言葉から受けるような"リタイア""隠居"といったイメージはもはや過去のものと言っていいでしょう。

　今や人生100年ともいわれる時代です。高齢者とてまだまだ第一

線で十分に活躍できる年代ですし、生涯現役を望めばそれも十分にかなえられる時間的な余裕はあるはずです。

　しかし現実はといえば、平均寿命の長さに対し、"体の耐用年数"が追いついていないというのが私の実感です。

　「健康寿命」という言葉は皆さんよくご存じかと思います。これは介護などの人の助けを借りず自立した生活が送れる期間を指します。その健康寿命ですが、平均寿命に比べ男女とも一般的に10年前後短いと言われています。

　総人口における高齢者比率の大きい日本は、労働力不足という問題に直面しつつあります。平均寿命から考えればまだまだ戦力であってほしい高齢者ですが、働けないどころか自立した生活も送れないとなると、今後、社会的な損失は増える一方です。

　これは国を挙げて解決しなければいけないテーマなのではないでしょうか。年金の支払い開始年齢の引き上げだけを論じるのではなく、もっと国民の健康維持、向上のための有効策を打ち出さなければ国力の低下は免れません。

　やや古い話ですが世界保健機関（WHO）を含む複数の世界主要機関から、筋骨格系疾患（運動器疼痛）が仕事や生活に支障をもたらす主要な原因であり、中でも最も大きいのが腰痛であると世界的に有名な論文誌で2012年に報告されています。

　世界的にもそのつらさは相当なもの、かつやっかいなものとして認知されているのです。

　人間は、進化の過程で二足歩行を得たことにより、腰痛や下肢の痛みに苦しめられる運命を背負ったともいえます。それから400万年も経ち、今はどうかといえば、「老いは足腰から」などと健康維持の目安の一つとされ、ウォーキングやジョギングなどが適度な運

動として国からも推奨されています。

　足腰が弱くなり寝たきりになると廃用症候群を起こし、全身の機能が衰えてしまうという理屈は分かります。しかし現代社会において年代問わず多くの方が、腰痛であれ膝痛であれ、体になんらかの痛みを抱えながらの生活を余儀なくされている現実もあります。そこに加え、さらに運動を、というのでは、痛みに追い打ちをかけているようなものではないでしょうか。

　足腰に負担がかかるウォーキングやジョギングが健康や命のバロメーターになっているとは、皮肉なものだとつくづく思います。

痛みの原因は「骨」の理不尽

　腰痛や膝痛、股関節痛は、骨折などの明らかな怪我や疾患によるもの以外は、「しぶとく」「あいまい」である──これに異をとなえる人はいないのではないでしょうか。

　痛みは極めて主観的な感覚です。じんじん、ずーん、ちくちくなど、表現の仕方は人それぞれであり、どんなときになど、痛む状況もさまざまです。腰痛を例に挙げれば、座っていると痛む人もいれば動かすと痛む人もいる、前屈はできるけれど後屈すると痛い、ひねると痛い、など枚挙にいとまがありません。痛む箇所も「ここが痛むんです！」とピンポイント的に指でおさえて示す人もいれば、「全体的に奥のほうが痛い感じがする」など、人によります。

　しかも、それはいつも一定とは限りません。昨日は左のほうだけ痛かったが今日はどちらかといえば右側が痛い、この間までは夜に

なると痛んだが最近は朝から痛い。施術をしてもらった日は楽になったが数日経ったらぶりかえしてきた、など、訴えが来院するたびにころころ変わることもあります。そんな患者さんが日々大勢訪れるのですから、聞く側はたいへんです。

　そんな多彩な症状を呈する「痛み」は、そもそもどこからくるのでしょうか。

　整形外科ではほとんどの場合、まずレントゲンを撮ります。これは明らかな怪我がないかみるためですが、レントゲンは骨の状態を評価する最も簡単な検査です。つまり、整形外科でみているのは「骨」でしかないということです。

　もちろん骨折やひびがあれば治療の対象になり、それで痛みはなくなるでしょう。しかしそれは子どもの部活動や、スポーツをしていて、あるいは転んだ、など明らかにアクシデントによることが分かっている場合にほぼ限られています。

　そのほかの大多数のケースではどうでしょうか。

　高齢者であれば、加齢による骨や軟骨の自然な変化を指摘されることがほとんどです。変形性膝関節症、変形性股関節症といったように病名がつくものから、「年のせいでしょう」まで程度はさまざまですが、整形外科ではこうした骨や軟骨の変化・変性（質が変わること）が痛みの原因であるというのが定説です。

　簡単にいえば、すり減って周辺組織とこすれるから痛む、だから痛まないようにこすれている部分を治療しましょう、ということです。

　それはそうでしょう。整形外科では「骨」しかみていないので、痛みを説明するのに骨の不具合を原因とするしか説明がつかないのです。

　それでは、骨や軟骨を治療すれば痛みはなくなるのでしょうか。

　整形外科での治療は疼痛を取る対症療法と、骨の変形を治す外科

治療に大別され、前者では鎮痛薬の飲み薬や患部への注射、温熱などが試みられますが、これを行えば必ず効くという方法はありません。患者さんの痛みが軽くなればそのとき行った治療法をしばらく続けながら様子をみます。

そしてそれでも痛みが消えないとなると、再び画像検査で「骨の変形が進んでいます。このままでは歩けなくなる」などと診断し、そうなる前に手術を……という話になってくるわけです。

手術は特に高齢者にとって体への負担が大きく、誰でもそう宣告されると不安になるものです。そこまでしなくても我慢できるから……と見送れば、その人はずっと、手術をしなかったからこの痛みとは一生付き合わなければならないと暗い気持ちで人生を送ることになるでしょう。ほかに痛みを取る方法はないと思い込んでいるからです。

それでは、手術を選択した人はどうでしょうか。それで痛みが軽快する人も確かにいます。しかし、例えば人工関節を入れれば生活動作に制限が出ます。正座ができなくなったり、激しい運動ができなくなったりなどです。

しかも、手術を受けても思ったほど痛みが取れなかった、それどころか新たな痛みが出現した、という声も決して少なくありません。

人工股関節を右に入れた人で、術後しばらくして左も痛くなったというケースもよくあるものです。それに対し執刀医はどうするかといえば、「人工関節を入れた右側をかばったために、左側に負担がかかりこちらの変形も進んだ。だから左側も手術しましょう」などと言うのです。

これではもともと患者さんを苦しめていた「痛み」の解決にはまったくなっていないのではないでしょうか。

痛みを取りたい一心で、思い切って手術を受けた。でもすっきり

しない。一方、医師は「動きが悪くなっていた関節を人工のものにしましたから、歩けるようになりますよ」とは言うけれど、痛みが100％取れる保証はしてくれない。

　最初から患者さんと医療機関との間に、目的のずれがあるようにも思えてなりません。それが、しんどい思いをして手術を受けたのに結局痛みはなくならなかった……という悲劇を生むのです。

痛みの出どころは「骨」ではない

　このことは、私にとってみれば起こるべくして起こったことと言わざるをえません。

　なぜなら、痛みの原因はそもそも「骨」にはないからです。

　膝を例に挙げ、骨格をみてみます。

　膝は太ももの骨である大腿骨と脛の骨である脛骨、そして「おさら」と呼ばれる膝蓋骨の、3つの骨で囲まれています。膝関節には詳しくいえば大腿骨と脛骨のジョイント部である大腿脛骨関節と、膝蓋骨と大腿骨とでつくられる膝蓋大腿関節がありますが、高齢者がよく訴える膝の痛みで、整形外科からその原因と指摘されるのは大多数が前者の大腿脛骨関節です。

　骨は文字どおり「屋台骨」であり、体重を支える役目を担っています。ヒトはさらに、進化の過程で二足歩行の機能を得たことにより、移動時の衝撃をやわらげる必要がありました。その役割を果たしているのが骨端にある軟骨です。

縦断面（正面図）

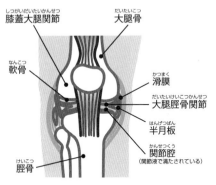

膝蓋大腿関節（しつがいだいたいかんせつ）
大腿骨（だいたいこつ）
軟骨（なんこつ）
滑膜（かつまく）
大腿脛骨関節（だいたいけいこつかんせつ）
半月板（はんげつばん）
関節腔（かんせつくう）（関節液で満たされている）
脛骨（けいこつ）

縦断面（横面図）

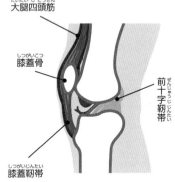

大腿四頭筋（だいたいしとうきん）
膝蓋骨（しつがいこつ）
前十字靭帯（ぜんじゅうじじんたい）
膝蓋靭帯（しつがいじんたい）

　整形外科でいう変形性膝関節症は、この潤滑油となっている軟骨部分が加齢等によりすり減り、骨同士が摩擦を起こし変形していく疾患と説明されます。それは私も間違ってはいないだろうと思います。

　問題は、「痛み」の出どころです。細かい表現の違いはあれど、「関節がすり減ってこすれあうので痛む」とか「変形するから痛む」と医師から説明を受けた、自分もそういうものだと思ったというのが患者さんの一般的な認識です。

　しかし、治療家である私たちはそこに疑問を感じざるを得ません。なぜなら、私たちは**骨や軟骨に神経が通っていない**ことを知っているからです。

　体にはさまざまな神経回路が張り巡らされており、刺激をキャッチすると信号化され、神経を伝って脳に届きます。脳がその情報を認識して初めて、「痛い」と感じるのです。

　しかし、骨はその神経回路をもっていないのです。すなわち、膝の痛みは「関節の痛み」ではありません。

　骨の変形が大きいために周辺組織を傷つけたり、炎症を起こしたりしているような場合は、痛みの出どころは神経が通っている周辺組織と考えることはできますが、レントゲンで骨しかみていなければそれも推論に過ぎません。検査画像で分かる関節のすり減りだけを問題視し、変形性膝関節症と診断するのです。

　そして「加齢のせいです。根本的な治療法は手術しかありません」と宣告。遅かれ早かれ、患者さんは手術をするかしないかの選択を迫られることになってしまうのです。

薬は手術までの時間稼ぎ

　変形性膝関節症は中高年の女性に多いといわれていますが、男女とも程度の差こそあれ、加齢に伴い関節の変形は起こってきます。整形外科では骨の変形は分かりますが、それが痛みの原因であるという確固たる証明ができないまま、「多少すり減っているから、痛みが出るんでしょう」と推論で話します。そして「このくらいのすり減りは加齢で誰でも起こります。痛み止めを出しますから様子をみましょう」と、"軽症"であればこれで終わりです。

　そうなると患者さんは痛み止めを飲んでいるうちは楽になりますが、切れればまた薬をもらいに行き、の繰り返しに。膝関節の変形は進行性で元には戻りませんから、痛みを薬でごまかしているだけで、いずれ手術になるのを待つばかりといった状態になってしまいます。

　股関節痛も同じです。やや古いデータになりますが、ある人工股

関節システム販売の出荷数は 2003 年の 28,800 件から 2013 年には 53,500 件と 2 倍近くまで増えており、10 年間の累計は 44 万件以上にのぼります。医学的には、変形性関節症は人工関節置換術が唯一の治療法ということになっています。

しかし、それで多くの人が主訴としている「痛み」は本当に解消されるのでしょうか？

私は決して、変形性膝関節症や変形性股関節症を治す必要はないと言いたいのではありません。関節の変形のために歩けないなどの機能障害があらわれ日常生活が送れなくなるのは困りますし、寿命をも左右するほどの進行状態というのではあれば、手術をしてでも治すべきでしょう。

しかし「痛み」が患者さんを苦しめている主症状で、痛みを取れば生活に支障がないというのであれば、手術で人工関節に換えてまで治す必要はないと言いたいのです。

必要がないどころか「見当違い」。痛みは骨から発生することはないからです。

膝痛における変形性膝関節症や、股関節痛における変形性股関節症と同じく、腰痛もそれを主訴とする病名はいくつもあります。

代表的なものに、「脊柱管狭窄症」があります。腰痛で整形外科にかかり、この診断を受けた患者さんが当院にもたくさんいらっしゃいます。

脊柱管狭窄症は、背骨を通っている神経の管が細くなり、中の神経が圧迫されるために痛みや歩きにくさなどの症状があらわれる疾患です。よく知られているのは間歇歩行といって、長時間歩いていると痛みが出るが、しばらく休むとまた歩けるようになるのが特徴です。また、前かがみの姿勢をとると楽になるようです。

整形外科では膝痛と同じように、消炎鎮痛剤等の薬物療法や牽引

などの理学療法が行われますが、対症療法に過ぎません。根治したければ、やはり「手術しかありません」となります。

しかし、手術を受けたとしても確実に治る保証はありません。かえって障害が残るリスクもあり、私は勧めません。

膝にしても腰にしても痛みの原因が「骨」にあるとの前提で行われる治療は、そもそもスタートラインが違っているのです。間違った方向にどこまで行っても、解決というゴールが見えてくるはずはないのです。

「原因不明」＝衰えのせい？

痛みを取り除く治療を行うには、まず「患部」と「原因」の特定ができなければなりません。

つまり「どこが痛むのか」「なぜ痛むのか」の2点です。この一見、当然に思えることが、今の西洋医学では十分になされていないのが問題です。

そのために、「原因不明」のまま見当違いな治療が行われているケースも後を絶ちません。

これはおもに、腰痛でよくみられます。

画像検査を行っても骨などの異常な所見がなければ原因不明とされてしまいます。

骨しかみていない整形外科では、その骨に異常がないのであれば手の施しようがありません。しかし、働き盛りの人や高齢者にはそうした患者さんが山ほどいます。

そこで医師はどうするかといえば、「筋肉の衰えのせいです」というわけです。

　骨折などの骨や周辺組織に異常のある器質的腰痛に対し、機能性腰痛とも呼ばれているようです。

　筋肉が衰えて、体を支える力がなくなっている。だから鍛えましょう。それは一見、もっともらしいことのように思えます。加齢とともに体のあらゆる臓器や組織は自然な老化で機能低下していきます。それは筋肉も例外ではありません。

　そしてその機能を少しでも補う方法として、筋肉ならトレーニングで鍛えるのが良いということも知られています。

　あるいは、姿勢や動作のせいにされることもあります。猫背など、姿勢が悪くなるのも筋力が低下しているせいだから、鍛えなさいといわれればなんとなくそうかなという気になってしまうでしょう。

　実際、運動は健康づくりの一環として厚労省でも勧めていますし、足腰を鍛えることは健康寿命の延伸につながると、昨今はシニア世代でもジム通いしたり、筋トレに励んだりする人が増えているように思います。

　衰えにあらがいたい気持ちは誰にもあるでしょう。しかし、目的が「痛みを解消するため」だとしたら感心できません。

　なぜなら、痛みの原因は決して「衰え」ではないからです。

　加齢で筋肉は衰える、これは合っています。痛みを訴える人は高齢になるほど増えている、これもいえるでしょう。

　しかしだからといって筋肉が衰えるから痛む、といえるでしょうか？　理屈が通らないのは明らかです。

　もし加齢による筋肉の衰えが原因というのなら、子どもの腰痛はどのような説明がつくのでしょうか。

　今や腰痛もちの子どもはざらにいます。教科書や部活の道具を入

れた重いバッグを毎日持っている、あるいは椅子に座っている時間が長いなど、彼らを取りまく状況で、腰痛になりやすい要素はいくつか考えられますが、それで「衰え」が加速されたとは誰も思わないでしょう。

使い過ぎこそ痛みの元凶

　私は、今までの7,500人以上にわたる施術の経験から、多くの人が悩んでいる慢性的な「痛み」の原因は「骨」でもなく、「筋肉の衰え」でもなく、「筋肉の疲労」と考えます。

　先の子どもの例でも分かるように、重い荷物、長時間にわたる同じ姿勢で筋肉が酷使され、いわゆる疲労物質が発生・蓄積し、それが「痛み」となってあらわれているのです。

　通常、疲労物質は血液やリンパの流れにのって排出されますが、疲労がたまると排出が追い付かず、たまってしまいます。そうなるとたまった上にさらに蓄積されてしまい、慢性的な痛みとなってしまうのです。

　当院でこのように話すと、「私は筋肉痛でここに来ているんではない、関節痛なんです」と言う患者さんもいます。

　しかし、膝関節や股関節の痛みも、元は筋肉の問題なのです。

　疲労物質がたまると筋肉は硬くなり、動きが悪くなります。関節も当然、負担が大きくなります。

　劣化して伸縮性を失ったゴムを伸ばそうと力を入れて引っ張っても伸びないのと同じようなものです。

それが続けば何かの拍子に突然、激痛があらわれることがあります。これは筋肉にたまりにたまった疲労物質が股関節痛なら脚の付け根に、膝痛なら膝周辺や裏側に痛みを起こしているのです。

　筋肉内に疲労物質がたまってくると、筋肉は硬くなり、伸縮しにくくなります。関節周辺でそれが起これば、可動域はおのずとせばまってしまいます。

　筋肉の柔軟性は加齢によっても自然な老化で失われていきますので、関節の可動域も年齢とともにせばまっていきます。高齢者ほど痛みが出やすいのは、筋肉疲労に加え、このような老化現象も関わってくるからです。

　しかし、誤解してほしくないのは、関節の可動域が狭くなったからといっても、問題の本質は関節ではなく筋肉にあることです。年齢を重ねればどうしても体の活動量は減ります。それは言い換えれば筋肉の活動量が減っているということです。

　筋肉は動かなくなれば硬くなりますから、関節も動きにくくなるのです。

　関節が動きにくくなればますます体の活動量は減ります。こうして相互に影響しあい、負のスパイラルに陥ってしまうのです。

　一方、血流はどうでしょうか。

　筋肉にはたくさんの血管が通っており、筋肉が動くことで血流が促されます。したがって、その活動量が減れば、当然、血流も悪くなります。

　結果的に、血液循環がスムーズでないために、疲労物質の蓄積がいつまでも解消されず、痛みの発生につながっていくのです。

　悪いことに、痛みが発生するとますます体を動かしたくなくなるため、そのままでは血流が促されず痛みの解消が進まないことになります。かといって、元は筋肉疲労からきているわけですから、無

理に動かしたりすれば疲労に疲労を重ねることになり、痛みを解消するどころか強めてしまうことになりかねません。

したがって、筋肉の状態を診断できる検査方法がなければ、医療機関では根本的な関節痛の治療は期待できない、ということになります。それがないから「原因不明」の痛みが医療機関で"量産"されてしまうのです。

そして「衰えでしょう」「関節を守るために運動してください」と言われた多くの人は、かえって痛みの症状を悪化させてしまうのです。

健康ブームの大きな矛盾

昨今の典型的な例が、中高年女性を主なターゲットとしたスポーツクラブです。

運動でストレス解消、運動で減量、運動で引き締まった体に……この年代に対するスポーツクラブの宣伝文句は山ほどあります。そのなかに、肩こりや腰痛の改善というようなうたい文句も当然ながらあり、魅力的に聞こえます。

かくして当院には、そうした場所で頑張りすぎて、かえって腰や膝の痛みが強くなってしまった人が次から次へといらっしゃいます。

そして多くの人が「休んだほうがいいですよ」と言っても、当院での施術で体が楽になると、また無理をしてしまいます。スポーツクラブに限らず、ランニングが日課になっている人、週末テニスが生きがいになっている人など、運動習慣のある人は往々にして、

「もっとタイムを縮めたい、もっとうまくなりたい」などと自分を追い込んでしまう傾向があるようです。

「腰痛体操」と呼ばれるものもメディアに多数、紹介されています。多くは腰回りの筋肉を鍛えることで、上半身をしっかり支えられるようにしたり、適切な姿勢を保って、腰にかかる負荷を減らすことが目的になっているようです。

しかしこれも、すでに痛みのある人が行っては逆効果です。痛みの元になる疲労物質を余計に増やしてしまうからです。

運動がすべて悪、などと言うつもりはありません。筋肉は使わなければ衰えるのは事実ですから、それを少しでも食い止めるために運動するのは良いことだと思います。

また、体を動かせば血液循環が良くなりますので、先に述べた疲労物質が排出されやすくなります。そういう意味では軽い有酸素運動は効果的でしょう。

しかし、衰えを食い止めることはできたとしても、それで痛みが取れるわけではありません。確かに衰えれば疲労しやすくなりますから、それで痛みが出やすくなるというのでしたら一理あります。

ところが、単なる衰えで、痛みが出ることはありません。したがって、運動が推奨されるのは、「今、痛みがない人」です。

とりたてて痛みのない人が、健康増進の目的で今後も痛みを起こさないために運動するならなんの異論もありません。しかし、すでに今、痛みがある人は、そこにきて体を運動でさらに酷使すれば痛みを増やすだけです。痛みは疲労の産物だからです。

今、慢性的な痛みで医療機関を受診する多くの人に勧められている運動療法は、本来、術後の機能回復、もしくは痛みがない人の健康づくり、すなわち衰えの予防にこそ活かされるべきでしょう。

例えば、脳卒中の後遺症で麻痺のある人がリハビリで機能回復に

努めるのは十分に意義のあることです。骨折のためにしばらく歩けなくなり、筋肉がやせてしまった場合も、リハビリで鍛える必要があるでしょう。決して運動療法や、リハビリ施設そのものを否定しているわけではありません。

　しかし、器質的な異常がないか、ごく軽度の人の痛みの解消の手段として運動療法が適切かといえば、私はそうは考えていないということです。**なんでも運動療法で解決すると思われている風潮がありますが、それは大きな思い違い**といわざるを得ません。

　そうではなくて、痛みの原因は筋肉の疲労にあるのです。

速やかな疲労回復で痛みを取る

　筋肉の疲労、使い過ぎが痛みの原因であれば、対策はとてもシンプルです。痛みを取るにはまず休むこと。そして、疲労物質を排出すること。たった2つのことで、痛みを改善へ導けます。

　口で言うのは簡単です。しかし現実には、この「疲労物質を排出する」良い方法が見つからないというのが多くの治療家に共通する悩みです。どのような施術も、先達の教えなり、長い歴史なり、豊富な経験で裏打ちされたものと思いますが、それでもすっきりと治らないケースが多々あるのが、慢性的な痛みのやっかいなところです。

　休むだけで痛みが取れるなら、それは一時的な疲労であり、普通は通院の動機にはなりません。私たちが日々対応している慢性的な痛みは、休むだけではだめで、「疲労物質の排出」が必須です。

　年齢を重ねてくると、筋肉にたまった疲労物質が一晩眠っただけ

では流しきれず、少しずつ疲労物質がたまり、幾層にも積み重なってしまいます。

それは、排水溝にたまったゴミに例えられるかも知れません。さーっと流れてくれればよいのですが、いつからあるのか分からないほどの古いゴミが残っている上にゴミが重なっていけば、流しても流しても残ってしまうものです。

そこへ、運動がよいからと突然張り切ったりすれば、急激にゴミのかさが増して排水溝をふさがんばかりの状態になるようなものです。つまり疲労が重なり強い痛みとなってあらわれるのは当然ともいえるでしょう。

また、疲労物質がたまると緊張や興奮をつかさどる交感神経が優位に立ち、血管が収縮して血液循環が悪くなります。つまり、ますます疲労物質が排出されにくくなってしまうという悪循環に陥りやすいのです。

そうなると治療家としても、それを速やかに排出するのは一朝一夕にはいかず、困難を伴います。

確実に排出する方法が身についていなければ、なおさらです。

でも安心してください。この本には、**私が今までに施術した7,500超の症例からつちかった、うそのように痛みを消す方法**がつぶさに書かれています。

人工股関節の手術を勧められたと来たけれど、一日で痛みがなくなったために手術前日にキャンセルしたという人もいます。どこへ行ってもよくならなかった腰痛が、みるみるうちに消えたという人もいます。

必要以上に長く続く痛みや原因が分からない痛みは大きなストレスになり、不眠やうつ病など、ほかの病気を引き起こすきっかけに

もなります。

　しかし西洋医学では、ときに原因不明の痛みを「心因性」とし、精神科の治療へと送られるケースも後を絶ちません。

　本人にとっては心の問題と言われショック極まりないでしょう。しかし整形外科では手立てがないと言われ、さまざまな治療院や民間療法を渡り歩くという治療難民になってしまうのです。

　かたや、手術しか治す手立てがないと言われ、不要かもしれない人工関節を入れられてしまう——どちらも悲劇です。

　ともに「痛み」の原因を取り除く、という当たり前のことができていないために起こるのです。

　このような人を一人でも減らしたい、それが私の願いであり、そこから生まれたのがこの「つるた療法」なのです。

第1章

治療難民を救う!

「患部」と「原因」をつきとめてピンポイントでアプローチする「つるた療法」とは

手当てだけで痛みを取る
つるた療法

　つるた療法は、手当てによる疼痛の除去を目的とした施術法です。文字どおり、患部に手を当てることで痛みを取る施術です。

　このように書くとやや神秘的な、秘伝の技のように聞こえるかも知れませんが、つるた療法は特殊な能力をもった人しかできないような施術ではありません。

　治療家でない一般の方でも、誰でもできる施術だと考えています。まずそのことを覚えておいてください。

　例えば、転んだりぶつかったりして激痛が走ったとき、皆反射的に患部に手を当てるのではないでしょうか。胃がしくしくする、お腹が痛む、そんなときにも手でおさえたりさすったりするでしょう。

　それはなぜでしょうか。

　そうすると、痛みが少しやわらぐような気がするからではないでしょうか。いえ、実際に、痛みは軽減されているのだと思います。

　手当て療法も、根本的にはそうしたときの手当てと同じであり、日常的にさりげなくしている行為の延長線上にあります。

　子どもが頭をぶつけて痛がっていれば、お母さんはそこを手でさすります。お母さんはなにもそれで怪我が治る、とは思っていないでしょう。でも、少しでも痛みがなくなれば、という思いはあります。だからこそ「痛いの痛いのとんでけ」という言葉が出てくるのではないでしょうか。

　実際、手を当てる行為には、痛みが早くなくなりますようにという願いが込められていますし、手を当てると痛みがやわらぐことを

すでに私たちは経験上、知っているのです。

　私が考案、開発したつるた療法は、この誰でもできる手当てという行為を「慢性的な痛みを取る」メソッドへと昇華させたものです。

　つるた療法をマスターすれば、手を当てるだけで痛みを発している原因箇所をつきとめることができます。そして、体の深部にある筋肉の疲労や緊張もほぐすことができるようになります。もちろん、薬や道具は一切使いません。

　つるた療法では

　1.　手当てで痛みの原因箇所をつきとめる
　2.　手当てでその部分の疲労物質を流す

これを体の深部の筋肉（腸腰筋など）に対して行います。

　これが、生活の中でなにげなく痛いところを触ったりさすったりする行為とは決定的に違う部分です。

　筋肉をほぐす、というと、マッサージのようなものをイメージする人も少なくないかもしれません。

　腰が痛いとき、肩が凝っているとき、やはり人は意識無意識問わず、腰をとんとんたたいたり、首や肩をもんだりします。そうするといっとき、こりや痛みがやわらいで気分が良くなります。

　でもほとんどの場合、それは長続きしません。もみかえしがくる人もいるでしょう。リラックスやリフレッシュ目的にはいいのですが、根本的な解決にはならないのです。

　マッサージも、確かに血流を促しますので、疲労物質を流す効果はあると思います。ただし痛みの元になっている疲労物質がたまっているところは体の深部です。そこまで効果を及ぼせるのは手当て療法のみと自負しています。

下肢の痛みの原因は「腸腰筋」

　序章でも触れた、特に高齢者に多い腰痛や股関節痛、膝痛はつるた療法の最も得意とする部位です。

　これらの原因はたった一つ、腸腰筋という筋肉の疲労・緊張によって起こることを私は 20 年前に発見しました。そしてこれを原因として起こる痛みを総称し「腸腰筋症候群」と名付けたのです。

　さらに、腸腰筋に起因している痛みを取る治療法としてつるた療法を開発、今までに 7,500 人を超える患者さんの痛み改善の手助けを行っています。

　腸腰筋はインナーマッスルといわれる、体の深い部分を通っている筋肉の一つで、腰椎や骨盤から脚の付け根にかけて位置しています。私たちの生活のなかで常に働いている筋肉のなかでも比較的大きな筋肉群です。

　腸、すなわち腹部と、腰の両方の文字が入っていることからも、体の要であり体重を支え重心を取る重要な位置にあることが想像できるかと思います。実際、この筋肉が腰部と下肢をつないでいることで、私たちは上半身と下半身のバランスを取りうまく連動しながら脚を動かすことができているといってもいいでしょう。

　それだけ重要な筋肉ではあるものの、腹部の深いところに位置しているため、普段は外から触れることができないし意識することも難しいほどです。人間の体を機械に例えるのはあまりふさわしくないかもしれませんが、往々にして機械の心臓部は文字どおり、奥のほうにあるものです。腸腰筋も体の中心部で、動作や姿勢の保持を

つかさどっているのです。

　腸腰筋は大腰筋と腸骨筋という２つの筋肉をあわせた名称です。

　大腰筋は上半身と下半身をつなぐ、唯一の筋肉です。背骨〜腰から始まり、骨盤の前側で腸骨筋と合流しています。詳しい場所は第２章で解説します。

　一方、腸骨筋（P36の図参照）は、腸骨と呼ばれる骨盤の左右の出っ張りから始まっており、骨盤内で大腰筋と合流しています。

　そしてともに、大腿骨の付け根である小転子につながっています。つまり、腸腰筋は背骨、骨盤、大腿骨という広範囲に及んでおり、それぞれの動きに密接に関係しているのです。ほとんどすべての日常動作で使われているといっても過言ではありません。

　大腰筋は姿勢を保ち脚を引き上げるときに使われる筋肉です。大腰筋が収縮すれば、股関節は曲がり、太ももが上がる、という仕組みです。また、椅子に座った姿勢を保持するにも、仰向けに寝た姿勢から起き上がるときにも、大腰筋が収縮しています。

　大腰筋の組織は、実は二層構造になっており、間に下肢を支配している神経が通っています。そのため、大腰筋が疲労すると腰痛や股関節付近に痛みが感じられることがあります。

　つまり、腰痛や股関節痛などの下肢の痛みは大腰筋の疲労による、と言えるのです。

　一方の腸骨筋は、太ももの内転筋と協働して膝を内側に引き付ける役割を果たしています。また、骨盤の角度をコントロールし、立位の姿勢を保持する役割も果たしています。

　腸骨筋が収縮すると、骨盤が前傾するので、腰椎は前方に出る形になります。それに伴い胸椎は後方へ、頸椎は前方にとアライメント（※良い姿勢を保つための、バランスの取れた骨格の配列）が形

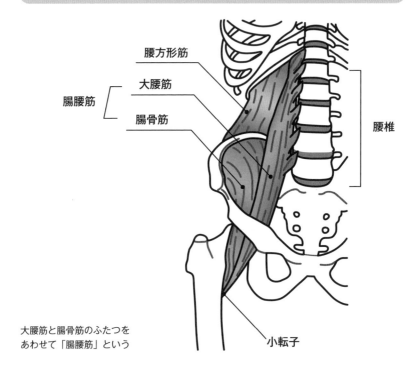

腸腰筋

腰方形筋

大腰筋

腸腰筋

腸骨筋

腰椎

小転子

大腰筋と腸骨筋のふたつを
あわせて「腸腰筋」という

成され、背骨全体は緩やかなS字カーブとなります。このカーブが
地面からの衝撃をやわらげ体への負担を少なくしているのです。

　ところが腸骨筋に疲労が蓄積すると、骨盤の角度がうまく調整で
きなくなるため、アライメントが乱れる原因となります。腰や背中
が曲がり、首が突き出るような姿勢になり、重い頭を支える頸椎や
脊椎に負担がかかります。これが首や肩、背中の痛み、腰痛を引き
起こすというわけです。

　膝痛はどのように起こるのでしょうか。

　これは腰から膝の内側にわたる神経が関与しています。

　腰椎の2〜4番、左右の突起した部分から下にかけて閉鎖神経と

いう神経が、腹部のほうに向けて出ています。

　その、腰椎から出たところがちょうど、両側の腸腰筋の内側になります。閉鎖神経はそこからさらに、足の付け根を通って下のほうへ行き、太ももの内側の筋肉である大腿内転筋を通って膝関節の内側までつながっています。

　腸腰筋が疲労し過度に緊張すると、その刺激が閉鎖神経に伝わり、太ももに違和感が起こったり、膝関節の内側が痛くなったりするわけです。

　このように、**腸腰筋の疲労は多くの人が抱えている体のさまざまな痛みの原因になっている**のです。

　ここまで話すだけでも、私が序章で説明した、筋肉を鍛えて痛みを解消しようというのがいかに誤った認識であるかお分かりいただけると思います。

　なぜなら人は腸腰筋を絶えず使っているからです。座っていて姿勢を維持しているだけでも使っている。だからそれを鍛えるというのは間違いです。むしろ使わないで休ませるように意識しないといけないのです。

インナーマッスルとは

　私たち人間の筋肉を、位置と役割から大きく種類分けすると、「アウターマッスル」と呼ばれる体表に近い場所の筋肉と、「インナーマッスル」と呼ばれる体の深部にある筋肉に分けられます。

　アウターマッスルのおもな役割は「力を出すこと」。重いものを持ち上げるなど、瞬時に大きな力をかけることが必要な動作はアウターマッスルが担っています。

　これに対しインナーマッスルは、体の姿勢維持やバランス保持などの、細かい調整が必要な動作を補助します。例えば体を右横へ倒したり、片足立ちをしたりするとき、体の深部を支え、倒れないようにしているのがインナーマッスルです。また、内臓も支えています。

　インナーマッスルは小さな筋肉が多く、背骨などの体の深部の骨格に付着し、周囲の筋肉と協働してバランスの取れた動作や姿勢を保持するよう働きます。

痛みの種類とメカニズム

　一般的に、痛みには「急性」と「慢性」があるといわれています。

　急性の痛みは突然の怪我や病気などによって起こり、ほとんどが一過性で時間の経過とともに治まっていきます。また、多くの場合で「ここが痛い」と指し示すことができる、局所的な痛みです。

　一方、慢性の痛みは広範囲にわたることが多く、痛み方も急性の激しいものとは違いはっきりせず、じんじんとか、ずーんなどと表現されたりします。

　治療家がおもに扱っている体の症状に関して、**痛みのカギを握っているのは「血液」である**と、私は考えています。

　急性の場合、例えば怪我で出血が起こると、筋肉を通っている血管から血中の疲労物質が漏れ出て、神経側にある受容体（疲労物質を感知するセンサー）に伝わり、シナプスと呼ばれる神経回路をたどっていって脳で痛みを感じる、というようにです。急性の痛みの典型パターンといえるでしょう。

　これが慢性の痛みになると、今度は血流障害が痛みの要因となります。本章で述べたとおり、疲労物質がたまってしまうために起こるのです。

　いずれにしても、血液が痛みに関与しているのです。

　裏を返せば、血液を制すれば痛みを制することができる、血液こそが治療の武器、といえるでしょう。

　ただし、慢性の痛みはさらに、ストレスが関わっている場合とそうでない場合の２つに分かれ、前者においてはストレスコントロー

ルの必要性も感じています。

　ストレスは交感神経を緊張させるため、血管が収縮して血流障害が起こるという点ではやはり血液と密接な関係があるといえます。しかしそれとは別に、ストレス自体が脳に直接、自律神経を介し痛みの感覚を伝えるために、強い痛みに感じられやすいと考えています。

　先ほど怪我をしたときなどに感じる急性の痛みは、血中の疲労物質がシナプスを介しながら脳にたどり着くと話しました。つまりハブが多いほど、痛みは少しずつ減じながら伝わっていくのです。しかしストレスによる痛みは、シナプスを介さずダイレクトに脳へ伝わるために、痛み方が強いというのが私の考えです。

　1．出血のときの痛み
　　血中の痛み物質（老廃物など）が神経の受容体にくっついてシナプスを経由し脳で痛みを感じる

　2．虚血（血流障害）
　　血流にのって排出されるべき老廃物が筋肉にたまり、組織破壊が起こり、痛みの物質がつくられる

　3．ストレス
　　交感神経の緊張により血管が収縮し、虚血状態となるため、老廃物が滞留、蓄積しやすい。
　　また、自律神経で感じる痛みの一部は、シナプス経由で減ずることがなく直接脳に伝わるため痛みの程度が強いと考えられる。

　なお、代表的な老廃物としてブラジキニンがよく知られています。これは血圧調整や炎症など、生体の恒常性維持にさまざまな役

割を果たす物質で、痛みを起こすいくつかの体内物質の中でも、最
強の発痛物質といわれています。

手当てで患部をつきとめる

　では私はどのようにして手当て療法で腸腰筋の緊張をほぐしてい
るのか、それを簡単に紹介していきましょう。より具体的なメソッ
ドは第4章で説明します。

　痛みを取るにはまず、「患部」をつきとめなければなりません。
　ここで間違えてはならないのが、**患者さんが痛がっている部位＝
患部ではない**、ということです。
　患者さんが腰痛だと言えば、たいていの治療院ではまずうつぶせ
になっていただきます。医療機関でもそうでしょう。みるのは腰だ
けでなく背中やお尻も範囲に含まれるでしょうけれど、まず腰のど
のあたりが痛いのか、どうすると痛みが増すのか、など、患者さん
の訴えを聞きながら探っていきます。
　しかし、つるた療法では患部の考え方が違います。
　腰が痛いから腰が患部、膝が痛いから膝が患部、ではないのです。
　もうお分かりかと思いますが、これらの痛みは腸腰筋の疲労から
きています。したがって、患部は腸腰筋なのです。
　当院では、ほとんどのケースで腸腰筋が痛みを発している箇所、
すなわち患部となりますので、患者さんには仰向けに寝てもらい、
最後まで仰向けのままです。

最初に脚の曲げ伸ばしなどで関節の動きを調べてから、腸腰筋への手当て療法を行います。詳しい手順は第4章に譲りますが、腸腰筋が位置する下腹部に手のひらを当て、ごく軽く圧迫します。マッサージのように手を動かしたり、指圧のようにぐっと深く押し込むようなことはしません。

　しばらく手を当てていると、腸腰筋の疲労が強ければ強いほど、手のひらにその緊張が、ハリやこりのよう感じられるようになります。さらに当てていると、お腹から脈動が感じられるようになり、急に温かくなってきます。

　それは手の熱だけではなく、患者さんの患部から、何かが上がってくるような感じが熱として感じられるのだと解釈しています。

　私はそれを、体の外へひきはがすようなつもりで手のひらをゆっくり上に浮かせます。

　このとき、多くの患者さんが強い痛みを訴えます。しかしこれは施術によって痛みが増したわけではありません。むしろ逆で、それまで無意識下にあった疲労が痛みとなって顕在化したサインであり、施術がうまくいっている証拠でもあります。

　手を当てたところを、患者さんが痛がるということは、そこが痛みの真の原因であり患部である、ということであり、緊張やこわばりがあることを示しているからです。

　この痛みは、施術の対象である腸腰筋の血流が急激によくなったために起こるのではないかと思います。つまり、手当て療法には強力な血行促進作用があるということです。それにより蓄積した疲労物質をできるだけ早く流し、痛みを緩和するというわけです。

血流を改善し、自然治癒を促す

　この、手を当て→ごく軽く圧を加え→引き離すプロセスを何度か繰り返すことで、腸腰筋にこびりついた疲労物質が緩み、血流にのって流れていくようになります。

　そもそも血液は細胞に酸素と栄養を供給し、二酸化炭素と老廃物を回収する役割をもっています。疲労物質ももちろん老廃物に含まれます。薬物などを使わなくても、人間には自分で疲労回復する力とその仕組みがある、ということです。

　すなわち、これは人間にもともと備わっている自然治癒力であり、**つるた療法は自然治癒力を高める施術**ともいえるのです。

　人間の体には、生命を維持し活動するためのさまざまなシステムが備わっています。口から摂った食べ物が胃腸で分解され、必要なものが体内に取りこまれる「消化吸収システム」、さらにエネルギーなどの、生命活動に必要なものへ変換される「代謝システム」、心身の活動と休息のリズムを刻む「体内時計システム」など、複数のシステムが体の中で互いに関わりあい、バランスよく機能することで健康な状態を維持しています。

　健康な状態の維持＝自然治癒力であり、体内のさまざまなシステムのバランスが取れている状態で十分に発揮されるといえます。

　どれか一つでもダウンしてしまったり、異常に働きすぎてしまったりしても、自然治癒力は低下し、不調が生じます。

　血流をはじめとする体内の循環システムもその一つであり、働きが悪くなると疲労物質が流れなくなるため、自然治癒力もパワーダ

ウンしてしまうと考えられます。

　それを高めるのが、手当て療法というわけです。

　患者さんが施術中に感じる痛みは、疲労物質が流れ出したサインでもあると考えます。

　ひとたびスムーズに流れ出せば、痛みはなくなります。

　なかには、痛む箇所が少しずつ移動していくケースもあります。これも、疲労物質が血流にのって排出される過程で起こり得ることです。ただそれも長くは続きません。もともと痛かった腰が楽になったといい、心地良さそうな穏やかな表情になってきます。

　そして施術が終わるとうたたねから覚めた直後のように、ぼんやりして、湯上がり時のように心まで緩んで疲労感が取れた、と言う人もいます。例えば温泉に入ると体が重だるく感じられることがよくありますが、それと似た感覚が、手当て療法でも得られるのです。

　これはおそらく、自律神経のうち弛緩やリラックスをつかさどる副交感神経が優位になり、収縮しこわばっていた筋肉がほぐれたためと思われます。血管も拡張しますので、筋肉内を通う血流も良くなっているでしょう。

　こうした、血液循環が良くなり筋肉がリラックスした状態は、通常、施術翌日〜2日後まで続きますので、その間はできるだけ十分な休息を取るようにするほうがより治りが早くなります。

　つまり心身を休め良いコンデイションにすることで、つるた療法により引き出された自然治癒力を高いレベルで維持しやすくなるということです。

　なお、手当て療法を1回受けただけで痛みが消えたという症例はいくつもありますが、多くの人が陥っている慢性疲労は前章でも述べたように、疲労物質が長年にわたり積もりに積もった状態ですの

で、しっかり取り去りぶりかえしを防ぐには、数日〜1週間のスパンで数回は通院するよう勧めています。

手を当てるだけで筋肉を調整

　手当て療法でターゲットとなるのは、疲労で収縮した筋肉です。

　説明するまでもありませんが、筋肉の緊張やこわばりの背景には血行不順があります。先に挙げたさまざまな生体調整システムの一つ、循環システムがうまく機能しないために血流が滞ると、人は冷えを感じます。そして冷えも痛みの感覚を強める要因となります。

　また、血液は疲労物質をはじめ体の不要物を取りこみ排出する働きがありますから、血行不順はそもそも痛みの元を体に留めてしまうことはすでに説明したとおりです。

　手当て療法を行うと、患部に熱を感じます。施術している私の手のひらにもその熱感ははっきり伝わってきます。**手当て療法ではマッサージのようにさすったり、もんだりはしません**。しかし手を当てているだけでも、このとき血流が促されていることを、こうした現象から確信しています。

　これは患部で滞っていた痛み物質が血液にのって流れ出すときに発せられるエネルギーによるものではないかと考えられます。

　筋肉を疲労させている痛み物質が流れていき、血流が良くなっているのですから、筋肉にとっては本来の柔軟性を取り戻す最良の条件がそろっています。手当てで直接、腸腰筋を触ることはできませんが、体が本来の健康を取り戻す力、すなわち自然治癒力で筋肉に

しなやかさが戻り、可動範囲が調整されていると考えます。

西洋医学的アプローチとの違い

ここで手当て療法のメリットを、西洋医学的アプローチと比較しながら、まとめてみます。

1．心身への負担が少ない、安全な施術

慢性的な痛みで病院へ行っても、根本的な原因を解消する治療はまず受けられません。鎮痛薬はあくまで痛みの感じ方を鈍くするだけで、切れれば元の症状があらわれますし、副作用の問題も見過ごせません。

当院に来る患者さんをみていると、その副作用によって、健康を維持しようとする力、すなわち自然治癒力が低下してしまい、かえって根治しにくくなってしまっていると考えられるケースが多数あることに気づかされます。

病院で、「年のせいだから治らない」「骨に異常はないので治療の必要はありません」などと言われることも多く、途方に暮れてしまう患者さんも少なくないでしょう。この痛みと一生付き合うしかないと、治そうとする意欲も失ってしまうのです。慢性病は、病院でつくられているといっても言い過ぎではない面はあると思います。

手当て療法には、副作用はありません。施術のし始めに、一時期痛みが出ることはありますが、それは体が治ろうとする際の、生理

的な反応ですから、まったく心配ありません。

　また、**手当て療法は体に強い力を加えることはなく、ただ優しく手を当てるだけ**ですので、体への負担はまずないといっていいでしょう。もみかえしさえありません。

　寝たきりの高齢の患者さんにも、妊婦さんにも、お子さんにも、老若男女、誰にも行うことができます。

　患者さんからはよく、「温泉から出たあとのように心地よい」と言われます。この心地良さが「治ろう」とする自然治癒力の源となっているのです。

２．痛みが速やかに取れる

　捻挫などの怪我をしたときに起こる急性の痛みは、十分な休息を取れば時間の経過とともに自然に消えていくものです。しかし、医療機関では患部を包帯でぐるぐる巻きにして圧迫したり、冷やしすぎて血行不良にしたりなど、患部にさらなるストレスを与え、回復を遅らせている処置が平然と行われています。その挙句「完治まで通常、３カ月はかかります」と言われた、と当院に来た患者さんから聞いたことがありますが、私に言わせれば、わざわざ慢性化させるような治療をしているとしか思えません。

　急性期の痛みなら、手当て療法を行えば１回で取ることは十分に可能です。慢性化してしまった痛みも、手当て療法で比較的簡単に取り去ることができます。腸腰筋症候群に代表されるように、怪我などのアクシデントではなく、長年にわたる疲労や緊張が蓄積されて起こる慢性の痛みに対しても同様です。年のせいだから治らない、などということはありませんし、何度もぶりかえすようなこともありません。

ただし、一つだけ留意点があります。

手当て療法は、たった１回の施術でも痛みを取り去ったり軽くしたりすることが可能な施術です。しかしそれゆえに、患者さんが完治したと勘違いし、十分な休息を取らずに再び酷使してしまうと、ぶりかえしてしまう恐れがあるのです。

症状はなくなっても、長年にわたる筋肉疲労は完全には消えておらず“根っこ”が残っている可能性がありますので、施術後２、３日は安静にしてもらい、できれば数日おきに数回は施術を受けてもらうことが、完治へ導くポイントといえるでしょう。

３．身体の深部への施術ができる

手当て療法は、もんだりさすったり押したりひねったりという刺激を患部に与える施術ではありません。筋肉の緊張をほぐしたいときにも、その筋肉に触れる必要はありません。

手のひらと腸腰筋との間で、刺激が行き来すると言ったらいいでしょうか。私には、患者さんの腹部に手を当てたとき、内臓の奥にある腸腰筋が感じられその状態も分かるのです。そういうときは私の手のひらからも、腸腰筋に対しなんらかの刺激が伝わっているようなのです。このやりとりによって、互いに加速度的に活性化していき、血液循環が促され、患部に滞った痛みが流れ出していくという感じです。

これは私だけが感じ取れる、あるいはできる能力ではなく、誰でも経験を積むことで、同じようにできると考えます。現に、今までセミナーを受けた方々の中には、プロの治療家だけではありませんが、ご家庭で家族のこりや痛みを取るなど実践に役立っているという人が大勢います。

４．さまざまな疾患に対する作用が期待できる

　手当て療法に痛みを取る効果があることは、経験した患者さんやそれを見てきた私には疑いのない事実です。

　それがどのような作用によるものか特に科学的に証明されているわけではないものの、患部の血流が劇的に良くなるからではと考えられます。

　血液が滞りなく循環することは、人間の自然治癒力が十分に発揮されるための最も重要な条件といえるでしょう。つきつめれば、すべての病気や怪我は患者さん自身の血液循環が治す、といってもいいくらいだと思います。医者や治療家が治すわけではないのです。

　また、手当て療法にはおそらく、交感神経の興奮を鎮め、副交感神経を優位にし、リラックスさせる働きもあるのだと思います。実際、施術後数日はぐっすり眠れるという患者さんが大勢います。痛みや不快な症状は、ストレスによっても増幅されますので、そのストレスをやわらげるにも、手当て療法は奏効しているといえるのかもしれません。

　それを証明するかのように、患者さんのなかには、もともと悩んでいた痛みがなくなることで、体のほかの不調も改善した、というケースが後を絶ちません。例えば、腰痛で当院に通っていた患者さんが、痛みの解消とともに便秘も良くなった、月経不順も改善された、頭痛、倦怠感、食欲不振も軽快した、というケースがよくあるからです。

　定期的に来る患者さんで、そういえば風邪をひかなくなったとよく話してくれる人もいますし、なかなか授からなかったのに、赤ちゃんができたという人までいました。

　がんの痛みで来院する患者さんもいますが、続けているうちに最

近体調が良くなり、ぐっすり眠れるし食欲も出てきた、という感想を聞くとこちらもうれしくなります。血液循環の良し悪しは、その人の免疫力にも影響しますので、そういうこともあるのかもしれません。

　手当て療法で得られる作用は、循環を良くするというシンプルなものだからこそ、体のさまざまな不調に対応できるのではないかというのが私の考えです。

つるた療法は誰でもできる

　今までにもセミナーを多数開催し、集まってくる人は鍼灸や柔道整復の治療家さんから、患者さんのご家族までさまざま。なにか資格がなければできないというものではありません。

　ただ、だからといって誰しもが一回本書を読めばできるようになるというものではなく、本書通りに実践したとしても簡単に治せるものではありません。ましてや「ただ手を当てるだけ」で痛みが消えるわけではありません。痛む部位や程度、期間によって効き目のあらわれ方には個人差が出ます。

　後章で述べますが、患者さんが強い精神的ストレスを抱えているとなかなか痛みが取れないことも少なくありません。基本的なやり方は本書で示しますが、実際には目の前の患者さんに教えてもらうつもりで経験を積む必要があります。そして、実践を通じて自分なりのやり方を見つけていくことが、真につるた療法を自分のものにすることになるのです。

> ### コラム
> # つるた療法は、
> # ある腰痛患者さんとの出会いから生まれた
>
> 　腸腰筋症候群の発見、そしてつるた療法の誕生は、今から20年前、当院に来た一人の患者さんとの出会いがきっかけでした。
>
> 　当時私は、それまでのスポーツトレーナーの経験を活かし、アスリートの運動障害に対しリンパマッサージなどによるコンディショニングを主たる仕事としていました。まだ腸腰筋の存在すら知らなかった時代です。
>
> 　そんな折、腰痛を訴える20代前半の女性が当院を訪れました。彼女は卓球選手で、腰部がかなりこわばっていました。入念にほぐすと、いっとき痛みはやわらぐのですが、何度か施術してもたった数日でぶりかえしてしまいます。
>
> 　不審に思い過去の治療歴などを詳しく聞いてみると以前から股関節痛にも悩んでおり、整形外科に通いつめたこともあったと話します。
>
> 　そこで私は仰向けに寝てもらい、痛む方の股関節周囲の筋肉の状態を診ていきました。すると、ちょうど腸骨筋のあたりを手のひらで軽くおさえたときに、彼女は突然「痛い！」と、身を縮ませたのです。
>
> 　ほとんど力をかけていないのに、これほど痛がるとは、なにかが起こっているサインだと私は直感しました。実際、この部分に引き続き手を当てていたところ、次第に痛

みがなくなったばかりか、腰の痛みも消えていったのです。

　今思えば、腸骨筋のあたりに手を当てたときに、痛みの原因をつきとめたいという強い思いから、全神経を手のひらに集中させていたのでしょう。それが現在の「つるた療法」と同じ作用を示したのです。

　この出来事をきっかけに、私は腸腰筋について深く知りたいと文献や資料を集め、一方で、ほかの腰痛や股関節痛の患者さんに、手当てによる施術を試みました。何人、何十人と行った中で、多くの腰痛、股関節痛、膝痛が腸腰筋を原因とすることを確信し、「腸腰筋症候群」と名付けたのです。

第2章

「つるた療法」実践に必須

筋肉と骨格の基礎知識

腰椎、骨盤、股関節の位置を知る

つるた療法を習得する前に、施術の対象となる筋肉や骨格の位置や構造を覚えましょう。

すでに仕事上、熟知しているという方もいると思いますが、本書は治療家ではない一般の方もお読みくださっているので、ここでは施術上、最低限知っておきたい事柄をまとめました。

人間の骨格は、大きさや形の異なるたくさんの骨から成り立っており、成人で通常 206 個の骨で構成されています。

頭蓋は脳や眼球をしっかり保護するため、それぞれの骨が縫合と呼ばれる複雑な方式でつながっているのが特徴です。

胸郭は胸骨と 12 対の肋骨によって、鳥かご状になった胸部の骨格です。肺や心臓を保護するとともに、呼吸時の胸郭の運動を助けています。

脊柱は椎骨と呼ばれる 26 個のリング状の骨がつながってできています。椎骨は、頸椎、胸椎、腰椎と、いくつかの骨が癒合した仙骨および尾骨に分けられます。

骨盤は、左右の腸骨・恥骨・座骨などの複数の骨からなる骨格で、上半身を支える土台になるとともに、消化器や生殖器、泌尿器などの臓器を保護しています。

人間の骨格

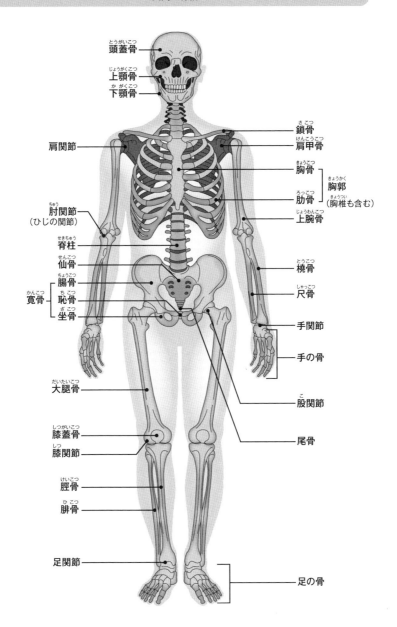

頭蓋骨 とうがいこつ

上顎骨 じょうがくこつ

下顎骨 かがくこつ

鎖骨 さこつ

肩甲骨 けんこうこつ

肩関節

胸骨 きょうこつ

肋骨 ろっこつ

胸郭 きょうかく（胸椎も含む）

肘関節 ちゅう（ひじの関節）

上腕骨 じょうわんこつ

脊柱 せきちゅう

仙骨 せんこつ

腸骨 ちょうこつ

恥骨 ちこつ

坐骨 ざこつ

寛骨 かんこつ

橈骨 とうこつ

尺骨 しゃっこつ

手関節

手の骨

大腿骨 だいたいこつ

股関節 こ

尾骨

膝蓋骨 しつがいこつ

膝関節 しつ

脛骨 けいこつ

腓骨 ひこつ

足関節

足の骨

腹部と下肢の骨格と筋肉

　それでは、つるた療法で主たるターゲットとなる腸腰筋が位置する腹部、および下肢の骨格と筋肉を見ていきましょう。

　腹部には、大きな皿のような形をした骨盤があります。骨盤は左右の寛骨（腸骨、恥骨、座骨）と中央の仙骨、尾骨から成ります。女性の骨盤は男性よりも浅くて幅が広く、出産時に新生児が通りやすい形になっています。

　その骨盤と、太ももの骨である大腿骨のジョイント部が股関節です。ほぼ球形をしている大腿骨頭が、骨盤側にあるお椀のような形をした臼蓋にはめこまれるような構造で、球関節と呼ばれます。下肢と骨盤をつなぐ重要な役割を担っており、体の重さの大部分がかかってくることが特徴です。

　下肢は大腿骨、脛骨、腓骨の長い3本の骨、および膝のお皿にあたる膝蓋骨から成ります（P55図参照）。

　膝関節は大腿骨と脛骨、膝蓋骨の3つの骨で構成されています。細かくいえば、大腿脛骨関節（大腿骨と脛骨による関節）と、膝蓋大腿関節（膝蓋骨と大腿骨による関節）の、2つの関節から成ります。

　膝関節には半月板というC字型の軟骨板が、大腿骨と脛骨の間、内側と外側に1つずつ存在しており、膝にかかる衝撃を吸収し、歩行時の荷重を分散させたり、膝関節をなめらかに動かしたりする働きをしています。

　また、膝関節周辺には多くの靭帯や腱があり、膝の動きをコントロールしています。腱は筋肉と骨とを結びつける組織で、筋肉の両

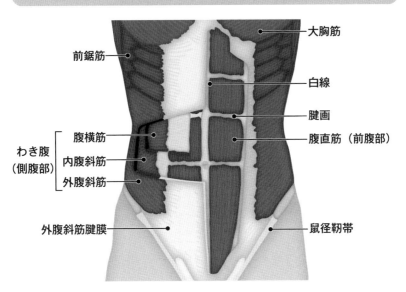

腹部の筋肉

大胸筋

前鋸筋

白線

腱画

腹直筋（前腹部）

わき腹
（側腹部）

腹横筋

内腹斜筋

外腹斜筋

外腹斜筋腱膜

鼠径靭帯

端が腱となって骨に付着しています。

　なお、腓骨は膝関節には直接着いていませんが、靭帯によって脛骨と強く結合しています。

　さらに、膝関節にはその両端に軟骨があり、骨にかかる衝撃を緩和する働きを担っています。

　腹部の前面には骨はありませんが、筋肉が上下左右、斜めに走っているため、丈夫なつくりになっています。

　腹部の筋肉は大きく分けて、前腹部と、わき腹（側腹部）があり、前腹部はいわゆる「腹筋」と呼ばれる腹直筋、側腹部には表層部から外腹斜筋、内腹斜筋、腹横筋から成っています。

　側腹部の3つの筋肉はそれぞれ筋線維の方向が異なるため、腰をひねったり反ったり、お腹に力を入れたりなど多様な動きが可能に

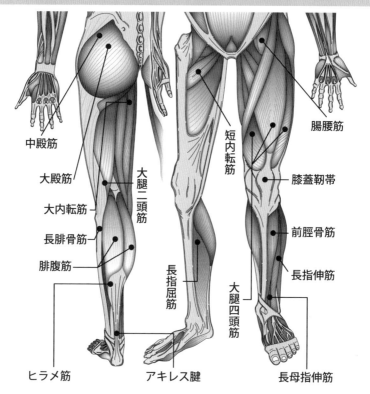

下肢の筋構造

中殿筋

大殿筋

大内転筋

長腓骨筋

腓腹筋

ヒラメ筋

大腿二頭筋

短内転筋

長指屈筋

アキレス腱

腸腰筋

膝蓋靭帯

前脛骨筋

長指伸筋

大腿四頭筋

長母指伸筋

なっています。

　下肢のおもな筋肉は、股関節を動かす大殿筋、膝を動かす大腿四頭筋および太ももの後ろ側にあり、膝を曲げる役割を担うヒラメ筋や腓腹筋などの屈筋群があります。

　そして、腹部と脚をつなぐような形で存在しているのが、インナーマッスルの腸腰筋です。

　大腰筋の始まりは、胸椎の12番といって、肋骨の一番下の骨が着いている背骨から、腰椎4番といって、胸椎12番から下4つ分

いったところにかけてです。そして腸の裏側を通って骨盤の内部に入り込んでいき、骨盤内で腸骨筋と合流し、大腿骨の付け根である小転子につながっています。

　腸骨筋は、P35 で説明したとおり腸骨と呼ばれる骨盤の左右の出っ張りから始まっており、骨盤内で大腰筋と合流、大腰筋とともに小転子へとつながっています（P36 図参照）。

　体の深部にある腸腰筋は、いわゆる「力こぶ」ができる上腕二頭筋や、太ももの大腿四頭筋とは違い、触って認識することはできません。しかし、つるた療法を習得すると、腸腰筋のある位置に手を当てると腸腰筋の緊張を手のひらで感じ取ることができるようになります。

　つるた療法で腸腰筋をターゲットとする際、手を当てる位置は、太ももの付け根の少し上、かつ、腸骨の内側、そけい部のあたりです。腸腰筋のなかでも脚に近い部分で、股関節痛や腰痛のほとんどは、この部分の疲労や緊張から起こっています。

　腸腰筋と同じくインナーマッスルの一つであり、臀部と太ももの間に位置する閉鎖筋という筋肉も、がんこな股関節痛、膝痛への施術に有効であることが分かってきました（P60 図参照）。

　閉鎖筋は外閉鎖筋と内閉鎖筋の 2 種類からなり、外閉鎖筋は骨盤下部から骨盤の背面を通って大腿骨の転子窩（小転子の上部にあるくぼみ）に着いています。内閉鎖筋はやはり骨盤下部から骨盤の前側を通って大腿骨の転子窩に着いています。

　どちらも、股関節の外旋におもに関与します。例えば水泳の平泳ぎでキックするときや床に座り開脚するような動作のときに使われます。

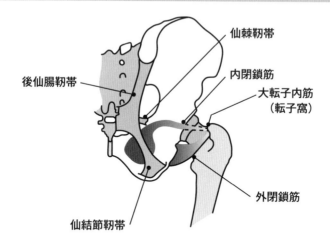

内閉鎖筋と外閉鎖筋

仙棘靭帯

内閉鎖筋

大転子内筋
（転子窩）

後仙腸靭帯

外閉鎖筋

仙結節靭帯

　つるた療法では、腸腰筋への施術を行っても痛みが思うようにひかない場合に、閉鎖筋への施術を試みます。

胸部と上肢の骨格と筋肉

　次に、肩や首、腕の痛みなどに関係する胸部と上肢の骨格と筋肉を見ていきましょう（P55図参照）。
　胸部の骨格は、胸骨、胸椎、肋骨から成っています。胸部の前方に位置するのが胸骨で、背面の支柱となるのが胸椎で12個あります。これらに12本の肋骨が心臓や肺を囲むように着いており、鳥かごのような骨格になっています。この部分を胸郭といい、呼吸を

助けたり内臓を保護したりする役割をもっています。

　肩関節は人体で最も可動域の大きい関節で、肩甲骨と鎖骨、上腕骨から成ります。肩甲骨は背中の肋骨の上にかぶさるように位置していますが、肋骨とはつながっておらず、周囲の筋肉によって支えられています。

　腕は上腕骨、橈骨、尺骨の3つの骨から成り、橈骨と尺骨の先に手の骨があります（P55図参照）。

　胸部の筋肉で最も大きいのが大胸筋です。大胸筋は鎖骨〜胸骨〜肋骨を始点として上腕骨まで達し、次に述べる三角筋とともに肩関節を動かす主力の筋肉となっています。おもに腕を胸の前に引き寄せるときに働きます。

　一方、三角筋はおもに腕を上げるときに働く筋肉です。

　背中の筋肉で最も大きいのは僧帽筋です。後頭部から肩〜背中へと広範囲にわたる筋肉で、腕を上げたり首を回したりするときに働きます。僧帽筋の下は広背筋が位置し、腕を背中に引き付けるときに働きます。

　つるた療法では、首から肩、腕、背中の痛みには胸椎の奥にある胸棘間筋というインナーマッスルへの施術を試みます。

　胸棘間筋は胸椎に付着している、体の最深層の筋肉で、ここに無理な力が加わったことによるダメージが（これを当院ではむちうちと呼んでいます）、慢性的な首や肩、上肢の痛みを引き起こしていると考えています。

　施術を行ううえでの、手当ての位置は、胸椎1番の右脇です。首を左右にふるなど動かしたとき、頸椎はともに動きますが胸椎は動きません。それを目印に、動かない骨の一番上の右脇が、胸棘間筋の位置です。

　指に意識を集中させ、頸椎の下の背骨に軽く押し当てると、椎骨

の突起に触れます。そこからやや右の肩甲骨へと指をずらしたあたりにあります。

　肩こりのときに肩甲骨のきわを押したりもんだりすると気持ちが良いものですが、ここには僧帽筋などのアウターマッスルが位置しているので、それよりも体の中心、背骨のきわと覚えておきましょう。

　その他、肩や首、顎関節の痛みと関連している代表的な筋肉に、胸鎖乳突筋があります。

　左右の側頸部（首の横）を斜めに走る幅の広い帯状の筋肉で、首を横にひねったときに浮き上がって見えます。左右のバランスが悪いと首が傾いたり（斜頸）、顎関節への負担がかかったりします。

胸鎖乳突筋

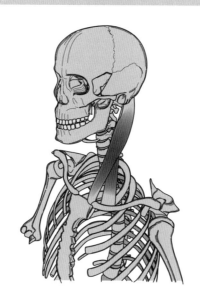

リンパマッサージで 体内の老廃物を流す

リンパは老廃物を
スムーズに流す経路

　リンパマッサージは、施術前の準備として行います。

　リンパは体表近くに張り巡らされている体液の循環経路です。細胞から老廃物を回収する際、その9割は静脈すなわち血管が担っていますが、残り1割は間質液という体液になり、全身のすみずみでリンパ管に吸収されます。

　それらは腋下や腹部、鼠径部などのリンパ節に集められるなどし、合流を繰り返し太くなっていきながら、静脈と同様に心臓の近くまで戻っていきます。

　その後、リンパ管は静脈に流入し、体液の循環に戻っていきます。こうした一連の過程で、尿や汗とともに老廃物が排出されます。

　しかし体液がリンパ管へとうまく回収されなかったり、循環が滞ったりすると、むくみやだるさとなってあらわれることがあります。

　リンパ浮腫という言葉を見聞きしたことがある人は多いのではないでしょうか。がん手術後の後遺症としてよく知られており、転移の可能性があるリンパ節を、がん切除時に併せて切除（郭清）することで起こるむくみなどの不快な症状を指します。

　たくさんのリンパ管が集まってくる場所を取り去ってしまうので、その部分のリンパの流れが滞りやすくなり、周辺がむくんでしまうのです。また、全身のリンパの流れも悪くなることでリンパを通している管自体が劣化、閉塞しやすくなり、むくみをさらに悪化させてしまいます。

　これは手術により明らかにリンパの流れが悪化したケースです

リンパ

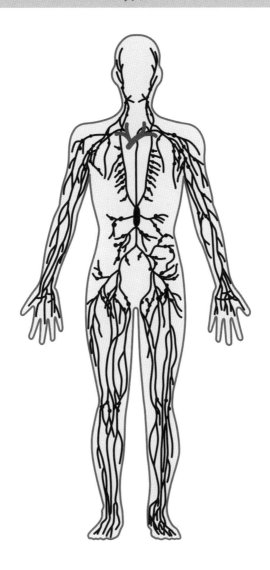

リンパは体表近くに張り巡らされている体液の循環経路

が、こうした病名がつかないまでも、リンパの流れが滞っている人は少なくありません。体が冷えていたり、なんらかの要因で水分代謝がうまくいっていなかったり、姿勢の癖などでリンパ節が圧迫されていたり、などです。

痛みがあるために体がこわばっていたり、姿勢が縮こまってしまったりしているときにも、リンパの流れは阻害されやすいといえます。

マッサージで疲労物質の
移動・排出をスムーズに

痛みがあるとその部位をかばって動くため、力の入れ方にアンバランスが生じ、患部以外にもこわばりや突っ張りなどの違和感や痛みのある人がとても多くいます。

例えば腰痛で歩行しにくいときには、必要以上の前傾姿勢になっていたり、周囲に手をついて歩くなどで腕や肩にも疲労がたまっていたり、姿勢が左右に傾いていたり、などです。

一カ所に痛みがあると結局、周囲の筋肉に負担がかかるので不快感が伝播し、全身が緊張している人がとても多いのです。

このようなときはリンパの流れも悪くなっており、患部の痛みを強めてしまったり、施術を行ってもその効果が出にくい状態をつくったりしていると考えられます。

体は自律神経の作用により、脳からの命令で各機能が統率されていることをふまえれば、リンパの流れが悪いのに、血液循環は良い、ということは通常、考えにくいことであるのは明らかでしょう。

　リンパマッサージ自体に痛みを取る効果は期待できませんが、血管はリンパ管よりも体の深部に分布しているので、**体表近くのリンパを流してあげることで、血液循環を促す下地づくりをする**、というのが当院でのリンパマッサージの目的です。

　リンパマッサージで全身をさすることは患者さんをリラックス状態へと導きます。ぽかぽかしてきて、余計な力が抜けてきます。特に初診時、初めての治療院で緊張するあまり体が硬くなってしまっている患者さんに対し、安心して身を任せてもらえるようにするという心理的な効果が期待できます。

リンパマッサージの手順

　リンパマッサージは決して力を込めず「さする」のが基本です。P69 の図のように、リンパ節のある腋下、鼠径部、膝裏、首の付け根の方向へと手のひら全体を使って流すようにします。

　全身をくまなく行うのが理想ですが、時間に限りがあるときには、痛む部位を中心にマッサージするとよいでしょう。押したりもんだりなどの圧は加えず、とにかく軽く、がポイントです。

リンパマッサージ　〈体の前面〉

1.　肩から鎖骨
　　鎖骨に親指を平行に添えて、首の前あたりで三角になるよう手を当てます(バレーボールのトスをするときの手の形をイメージ)。

2. 首

片手を首の下、もう片方の手でさすります。

3. 脇の下

指をそろえて、脇をおさえたのち、ひじから脇に向かってさすります。

4. ひじ

指をそろえてひじの内側に手を当てたのち、手首からひじに向かってさすります。

5. 手首

指をそろえて手首の内側に当てたのち、手のひらから手首に向かってさすります。その後、指を一本ずつ、指先から付け根に向かってさすります。

6. 胴

図のように、体の中心から外側に向かってさすります。女性の場合は乳房の上下を中心から脇に流す感じで行います。

7. へそ

下半身のリンパが集まっている大事な部分。ここはさすらず、指をそろえておへその上に当てます。

8. 鼠径部

図のように、腰から鼠径部へと流します。

リンパマッサージ

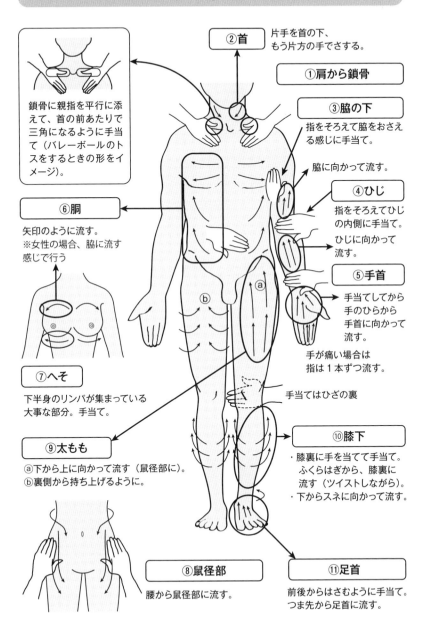

鎖骨に親指を平行に添えて、首の前あたりで三角になるように手当て（バレーボールのトスをするときの形をイメージ）。

②首
片手を首の下、もう片方の手でさする。

①肩から鎖骨

③脇の下
指をそろえて脇をおさえる感じに手当て。

脇に向かって流す。

⑥胴
矢印のように流す。
※女性の場合、脇に流す感じで行う

④ひじ
指をそろえてひじの内側に手当て。
ひじに向かって流す。

⑤手首
手当てしてから手のひらから手首に向かって流す。
手が痛い場合は指は1本ずつ流す。

⑦へそ
下半身のリンパが集まっている大事な部分。手当て。

手当てはひざの裏

⑨太もも
ⓐ下から上に向かって流す（鼠径部に）。
ⓑ裏側から持ち上げるように。

⑩膝下
・膝裏に手を当てて手当て。ふくらはぎから、膝裏に流す（ツイストしながら）。
・下からスネに向かって流す。

⑧鼠径部
腰から鼠径部に流す。

⑪足首
前後からはさむように手当て。つま先から足首に流す。

69

9. 太もも

下から上に向かって、鼠径部へと流すようにさすります。その後、
図のように、太ももの裏側から持ち上げるようにしてさすります。

10. 膝下

指をそろえて、膝裏に手を当てたのち、ふくらはぎから膝の裏
側へもっていくように、らせん状にさすります。

11. 足首

足首を前後からはさむように手を当てたのち、つま先から足首
へとさすります。

リンパマッサージ〈体の後ろ側〉

12. 背中からお尻

体の中心から外へ向かってさすります。
※腰痛の場合は、このときに痛む箇所を確認するのに、両手の
親指を重ねて優しく押し、触診してもよい。

13. 太もも

9と同様に図のⓐ→ⓑの順にさすります。

14. ふくらはぎ

足首から膝に向かって流すようにさすります。

15. 足の裏

11と同様に、足首に向かって流すようにさすります。

「腸腰筋」の疲労を回復させて
腰・膝・股関節の痛みを改善

下肢の痛みのほとんどは 「腸腰筋症候群」

　第1章で説明したとおり、多くの人が悩まされている腰痛、股関節痛、膝痛といった下肢の痛みは、元をたどれば体の深部にある腸腰筋の疲労や緊張が原因です。

　ただし体の深部にあり、意識されることのない筋肉のため、誰も「ああ、腸腰筋が傷んでいる」とは思いません。立ったり歩いたりなどのなんらかの動作をしたときにも、実感として負荷がかかっているのは腰や股関節、膝ですから、腸腰筋が疲労しているなどとは思わないのが普通です。

　「自分は脊柱管狭窄症と診断された。これは骨の病気でしょ？」「変形性股関節症で、人工関節にしないと痛みはなくならないと言われた」こうした話を、当院にきた患者さんから何度聞かされたことでしょう。しかしそのたびに私は言うのです。「痛みの原因は、骨や関節ではありません」

　繰り返しになりますが、骨や関節の変形と、体の痛みは切り離して考えなければなりません。痛みさえ出なければ、たとえ変形があっても、大がかりな手術などしたくない、手術しなくても生活できる、という人はたくさんいます。

　つるた療法は、骨や関節の変形を治す施術ではありません。したがって、変形のために立てない、歩けないなど生活に大きな支障が出る場合や、それが命にまで関わる事態であれば、手術を否定するものではありません。

　しかし、ほとんどの患者さんが最も困っているのは「痛み」で

す。つるた療法ならその痛みの除去が可能です。

　しかもその場限りではありません。つるた療法なら痛みを発している根本原因をつきとめられるので、数回の施術で完全に痛みから解放されるケースもたくさんあります。これは**「腸腰筋症候群」を発見し長年にわたり治療実績を積んできたつるた療法**ならではの強みである、と自負しています。

腰　　痛

　腰痛を訴えて医療機関を受診する人にくだされる診断のなかでも特に多いのが**「椎間板ヘルニア」**と**「脊柱管狭窄症」**ではないかと思われます。

　椎間板ヘルニアは、背骨の関節である椎間板節の間にあり、クッションの役割を果たしている椎間板が飛び出て、それが背骨から出ている神経根を圧迫するために痛みが起こる、という説明が一般的です。

　神経に触るのであれば痛いのは当然だろう……と思われがちですが、そもそも神経はむき出しではなく、周囲を頑丈な鞘のような役割を果たす組織に囲まれています。一方、椎間板は柔らかいゼリーのような物質です。それらが触れたとて、さほど強い痛みやしびれにはつながらない、というのが自然な考え方ではないでしょうか。

　また、椎間板ヘルニアは安静にしていると痛みがひいてくるものです。もし神経と接触して痛むのであれば、安静にしていようがどうしていようが、その痛みは変わらないのではないでしょうか。

実際に、椎間板ヘルニアと診断された方の多くは、「だましだまし」してきて、いっときは良くなっても再発を繰り返すためにもてあまし、手術を決断する、というケースが多いようです。そうした経緯のなかで、治療院を頼る人が大勢います。

　そこで、当院で腸腰筋の手当てをすると、ほとんどの患者さんの腰痛は取れてしまうのです。

　つまり、飛び出してしまっていた椎間板が、腸腰筋の緊張が取れることで引っ込んだということです。すなわち、椎間板ヘルニアの原因は、腸腰筋にあったというわけです。

　第1章でも述べましたが、筋肉は疲労すると収縮する性質がありますので、腸腰筋、特に大腰筋が疲労して収縮していると、腰椎が引っ張られて曲がりやすくなってしまいます。

　腰が曲がれば、腰椎の椎間板は押しつぶされますから、中身が圧力を受けて飛び出してきます。これがヘルニアの元になるというのが私の考えです。

　腸腰筋、特に大腰筋の疲労を取り、緩めれば、椎間板の圧迫も解かれますから、ヘルニアも自然に元に戻るのです。

　脊柱管狭窄症はどうでしょうか。こちらも、緊張して収縮した腸腰筋によって、腰椎が強い力で引っ張られるために起こる、と考えられます。実際に、当院に来られる患者さんは、腸腰筋への手当てによって痛みが改善し、自然に軽快していきます。

　医療機関で診断がつかず、原因不明とされる腰痛もたくさんあります。画像検査では骨の状態しか分かりませんので、その骨に異常が見当たらなければ、ほとんどが筋肉の問題といえます。しかし医療機関では筋肉の状態を調べるすべがないので、原因不明とされてしまうのです。そして、「年のせいで衰えているから鍛えなさい」と、疲労に疲労を重ねる指導をしてしまうのです。

〈症例〉腰痛の元は腸腰筋症候群（40代女性 Eさん）

　長い間、腰痛に悩んでおり、近くの大学病院で検査を受けたところ椎間板ヘルニアとの診断を受け、手術を勧められたそうです。当院には、もともとそれとは別に、交通事故によるむちうち症で痛めた首の施術を受けに来たのですが、事情を聞いた私は腰のほうもみてみることに。

　手当てしてみると、腰痛の元はやはり腸腰筋症候群でした。手術まで勧められていたのに、1回の施術で痛みがだいぶ軽くなり、3回ほどでほぼ完治したのです。

　Eさんは喜んで、診断を受けた大学病院へ報告に行ったところ、手を当てるだけで治るはずはない、と一笑に付されたそうです。ところが、その後再度、画像検査を行ったところ、初診のときにははっきりと映っていたヘルニアがきれいさっぱり、なくなっていたのです。

　もし、当院へ来なければ、Eさんは椎間板ヘルニアの手術を受けてしまったことでしょう。今となっては、意味のない手術としか言いようがありません。このようなケースは珍しくなく、今も全国で不要な手術が行われているに違いないのです。

股関節痛

　スポーツ選手などで外傷を負ったというケースでない限り、一般の人が股関節の痛みを訴え整形外科を受診すると、ほとんどの場合

「変形性股関節症」と診断されます。「加齢で股関節の軟骨がすり減り、骨同士がぶつかるので痛む」と説明されれば、なんとなくもっともらしいと思えます。

自然な老化で、軟骨がすり減ることはあるかもしれません。でも人によって、同じ年齢だとしても痛みが出る人、出ない人がいるのはなぜか、「年のせい」では説明がつきません。

確かに、生まれつき股関節がずれていたり、関節の形成不全があったりすると、変形性股関節症になりやすいということはいえるでしょう。しかしそうであっても、何十年と不便なく暮らしてきた人が中高年になり急に変形性股関節症になって関節が痛む、というのは不自然です。慢性的な経過をたどったのは筋肉疲労のほうで、腸腰筋に長年の疲労がたまり、痛みがあらわれたというのが私の考えです。

そもそも、痛みを感じる神経が通っていない骨が痛む、というのは考えにくく、周辺組織に痛みの原因がある、という考え方のほうが、説得力があります。

理屈だけではなく、実際に、股関節痛で当院に来られた患者さんのほとんどが、腸腰筋への施術を受けると、自然に痛みが軽快していくのです。なかには、人工股関節を入れる手術を数日後に控えた患者さんで、つるた療法を1回受けただけで痛みが軽くなったので、手術をキャンセルした、という方もいます。

もっとも、腸腰筋など一般の方は存在すら知らないのが普通ですので、患者さんも当院に初めて来られたときに「股関節が痛むのではありません」と説明を受けても、きつねにつままれた表情になります。「確かに痛いのは股関節だし、医者から変形性股関節症と言われた」と言い張る人も少なくありません。しかし、そのような人でも腸腰筋症候群であれば、施術を進めるうちに、腸骨（骨盤の前

側、左右に突き出た部分）のやや内側に強い痛みを感じます。明ら
かに、そこは股関節ではありません。

　つるた療法によって、患者さんは初めて、腸腰筋の痛みを感じる
のです。そして、**１時間ほどの施術を終えると、つらかった股関節
の痛みがなくなっている**ことに驚き、腸腰筋が股関節痛の元になっ
ていることをようやく理解するのです。

〈症例〉股関節痛の原因は腸腰筋（60代女性 Ｆさん）

　体を動かすのが好きで、太極拳が趣味というＦさんですが、数年
前から右足に違和感が出てきたといいます。普通に歩いているつも
りなのに、右足を引きずっているようになり、靴底の減り方も不自
然でした。

　そのうち、右の股関節が歩くたびに痛むようになり、整形外科
へ。画像検査の結果、変形性股関節症と診断されました。医師が言
うには、生まれつき右だけ股関節の発達が悪いとのこと。当初は薬
も出ず、痛いときは安静にと言われ、そのようにしていたのです
が、それから１年経って、とても我慢できないほどの強い痛みがあ
らわれるようになってしまったのです。

　Ｆさんは、前回とは別の医療機関に行ってみましたが、そこでも
変形性股関節症との診断。痛み止めの薬をもらい、安静に努めるよ
う言われたものの、もともと活動的なＦさんなので、ちょっと調子
が良ければ家でじっとしていることなどできません。薬も、飲み続
けると効かなくなってしまうと思い、極力飲まないないようにして
きたそうです。

　そうやってだましだましきていたものの、やはり痛みは一向にな
くならず、ついに歩くのもつらくなるほどに。医師からは「痛みを

完全になくすには人工股関節を入れる手術しかありません」と言われてしまい、どうしたらよいか分からず、知人の紹介で当院に来られました。

　ベッドに仰向けになってもらい、足を持って、"患部"である股関節を動かしてみましたが、そのときには痛みを訴えなかったFさん。ところが、次に腸腰筋の手当てをしたところ、しばらくは気持ち良さそうにしていましたが、急に「うわぁ！」と叫び声を上げたのです。どうも、腸腰筋に激痛が走ったようなのです。

　そこで「本当に悪いところは腸腰筋です」とお話しし、施術を続けたところ、数回通っていただいた段階で股関節の痛みはきれいになくなりました。最初は半信半疑の様子だったFさんですが、今ではすっかり信用していただき、「手術を受けなくて本当によかった」と当院に来るたびにおっしゃっています。

膝　　痛

　「痛いのはまぎれもなく膝なのだから、膝を治療してほしい」当院に膝痛で来られる方の多くは、私が腸腰筋への施術をしようとすると、複雑な表情をなさいます。

　しかし、**腰部から離れている膝でさえも、痛みの原因は実は腸腰筋の疲労にある**のです。

　確かに、医療機関で画像検査をすれば、高齢であるほど多かれ少なかれ「膝関節の軟骨がすり減っている」状態が認められるでしょう。しかしこれも序章で説明したように、骨自体には痛みを知覚す

る神経がないので、このこと自体が痛みを起こすとは考えられません。

　むしろ、膝関節の動きにはたくさんの筋肉が関わっているのですから、そうした大小さまざまな筋肉の疲労や緊張による力関係のバランスの崩れなどで起こる、と考えるほうが自然ではないでしょうか。

　「筋肉疲労」なのですから、その疲労を取ってあげれば、痛みは治まる──ごく簡単な道理なのです。

　ただし、膝の場合は前述のように、多くの筋肉が関わっていますので、どの筋肉が疲労しているのかをつきとめることがとりわけ大切になってきます。膝のほうには腸腰筋から神経が通っていますから、腸腰筋が原因の場合ももちろんあります。

　私は今までの施術を通して、痛む箇所とその原因はいくつかの典型パターンに当てはめられることが分かっています。本書では痛む箇所が膝の外側か、内側かに分けて施術の仕方を紹介します。

〈症例〉腸腰筋の疲労から膝の痛みが発生（70代女性Ｈさん）

　Ｈさんは鹿児島県在住の方ですが、膝痛の手術を受けるため神奈川県までやって来ました。ところが手術の２日前になり、当院の噂を聞いて「手術が決まっているのだけど、その前にみてもらえないか」と連絡してきたのです。

　当院は予約制で、通常は早くて２週間先になってしまうのですが、私としても手術が迫っていると聞いて、断るわけにはいかないと無理をして予約を入れました。

　見たところ、大腿二頭筋がかなり緊張しています。大腿二頭筋はハムストリングスとも呼ばれる、太ももの裏側の筋肉群の一つです。スポーツ選手では、酷使による怪我が多い部位ですが、一般の

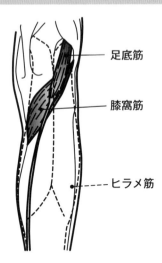

膝窩筋と足底筋

足底筋

膝窩筋

ヒラメ筋

「膝窩筋」と「足底筋」の疲労が
膝の痛みの原因となっていることもある

人でも、坂道の多い土地に暮らしている人などに多く見られます。

　Hさんも、起伏が多い鹿児島県は屋久島にお住まいとのことで、日ごろから足腰を酷使しているようでした。

　ほかにも、膝窩筋という膝関節裏の筋肉や、やはり膝関節の裏からかかとまでつながっている足底筋という筋肉も疲労して硬くなっていました。

　それで手当て療法を行ったところ、膝の痛みがあっけなく取れてしまったのです。Hさんは結局、手術を受けずに屋久島へ帰りました。

　私はもともと屋久島の自然が大好きで、よく訪れます。Hさんの施術後に行った折には、せっかくなのでお宅に寄ってみました。すると、右膝の痛みが少しぶりかえしているようだとのことなので、その場で施術したところ、またすぐに治まりました。

　以降、屋久島へ行くたびに患者さんが増え、私が知っているだけでも３人の人が、手術をしないことに決めたそうです。

基本の手当て

ここでは、すべての手当てに共通している基本的なやり方を紹介します。

基本的に両手を重ねて施術します。左右どちらを上にするかはやりやすいほうで選んで構いません。

患部に当てるほうの手は、痛みを取ることに意識を集中させます。上から重ねるほうの手で、おさえたり離したりする際の力の調節をします。

両手のポジション

患部に当てる手の甲部分を覆うように、もう片方の手をそえます。指は曲げません（患部を指で押したりおさえたりしないように）（P82 写真参照）。

施術を行うのは、手のひらの中でもおもに「掌底（手のひら下部のふくらんでいる部分）」。ここで患部をつき止めたり痛みを取ったりします。

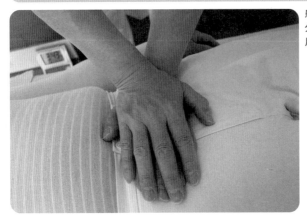

患部に当てる手の甲部
分を覆うように、もう
片方の手をそえる

手を当てる場所

大腰筋

まずおへその脇に手を当てます。ここは大腰筋の始点～上半分が
位置する付近になります。

手を重ねたまま下へ少しずつ場所を移動させ、腸骨の内側～鼠径
部～恥骨の下あたりまで手当てします。

腸骨筋

掌底のおもに小指側を使って、骨盤を包み込むように当て、もう
片方の手を重ねます。

手当ての手順

1．患部をつき止める

前ページの「手を当てる場所」の順にしたがい手を当てます。このとき力を込めないこと。意識して手を押し当てようとせず、自然な重力に任せ沈むイメージです。ゆすったり、さすったり、もんだりはしません。

しこりのような硬さを感じたら、そこに疲労物質がたまっている、すなわち患部です。

目を閉じて行うと集中力が高まり、しこりを見つけやすくなります。

2．患部を確認する

しこりを感じたら、一度手のひらの力を緩め、患部に触れるか触れないかくらいまで離してから再び当ててみます。やはりしこりを感じたら患部と確定です。

しこりを確かめようと強く圧したり、ゆすったりすると、かえって患部の範囲が広がるように感じられてしまい、特定しにくくなってしまいます。しこりを感じたら手の当て方を変えず、手のひらに意識を集中させます。

3．血流を促す

そのまま手を当てていると熱を感じてきます。血液の流れが手のひらへ熱感として伝わっているのです。痛み物質（疲労物質）

が流れ出したサインなので、熱くなったら2と同じように一度手のひらを浮かし再び当てる動作を数回、繰り返します。これによって血流が促されます。

４．痛みを取る

3を続けていると多くの場合、患者さんが手のひらを当てている場所に重い感じの痛みを訴えてきます。しかし、よかれとさすったりもんだりしてはいけません。痛みを引き離すようなつもりで、当てた手の力を緩めて浮かし、また当てます。これを数回繰り返します。

痛みが取れてくると、手を当てた際、1のときよりも深く沈む感触が得られます。

どの部位の施術でも、つるた療法では「手の感覚に集中する」ことが重要です。私は目を閉じて行っていますが、ルールではありません。自分なりの方法を見つけることが望まれます。

部位別　手当ての手順

腰痛

腰痛は腸腰筋のうち、大腰筋の手当てを中心に行います。回復が思わしくない場合は腸骨筋の手当ても行います。

1. 大腰筋の手当て

基本的には左右とも手当てを行うが、腰の右側が痛む場合は右を、左が痛む場合は左を重点的に手当てします。

2. 腸骨筋の手当て

大腰筋の手当てだけでは回復が思わしくない場合に行います。

股関節痛

股関節痛は大腰筋の手当てをし、回復が思わしくない場合は腸骨筋、閉鎖筋への手当ても試みます。

1. 大腰筋の手当て

軽度の股関節痛であれば大腰筋の手当てだけで改善します。

2. 腸骨筋の手当て

骨盤周辺の血流を良くし、関節の可動域を広げます。

3. 閉鎖筋への手当て

1、2の手当てでも回復しない場合、骨盤の開閉に関係する閉鎖筋の緊張が原因である可能性があります（下記参照）。

しぶとい痛みへの対処法

腸腰筋の手当てをしても痛みが取れない場合は、閉鎖筋の疲労や緊張が疑われます。閉鎖筋は骨盤を締める筋肉で、疲労や緊張があると臀部から腰部〜下肢への痛みの元

になります。

　片方の手は内転筋の下部、もう片方は臀部の下のほうに
手を当てます。

　なお、腰痛や膝痛においても、回復が思わしくない場合
は閉鎖筋の手当てを行うと良くなる可能性があります。

膝痛

　基本的に、慢性的な膝痛といえば膝の後ろ側から起こっていま
す。前側、つまり膝蓋骨（お皿）周辺の痛みはほとんどが怪我を原
因とします。

　その、後ろ側に起こる慢性疼痛はさらに、膝の内側か外側かに
よって、原因となる筋肉が分かれます。

はっきりしないときには、階段の昇り降りで判断

　したがって、患部を特定するためには、まず膝の「前側」が痛い
のか、「後側」が痛いのかをはっきりさせる必要があります。しか
し、常に痛いとその範囲があいまいになりやすく、果たして今痛いの
は膝の前側なのか後側なのかよく分からない、という患者さんもい
ます。

　その場合には、「階段を下りるときに痛みますか？」と質問しま
す。痛むと答えたら、ほぼ膝の後側で間違いないでしょう。大腿二
頭筋の疲労です。

　腸腰筋が全体的に疲労、緊張していて、内外関係なく痛むケース
もありますが、それでも階段を下りるときに痛みを感じるなら、膝の

後側の痛みのほうがおもで、真っ先に手当てすべき患部と考えます。

　ただし、膝痛のほとんどは後側の痛みです。多くの患者さんは、膝痛だけということはなく、腰痛や股関節のあたりの痛みも併せ持っており、大腰筋や腸骨筋の中でも下部に当たる範囲を痛がります。この場合の膝痛は前側であることが多いのです。

〈膝痛の手当て〉

　両手のポジションや当て方は腰痛と同じです。ただし腸骨筋をターゲットにする場合、施術を行う手のひらの部分は掌底のおもに小指側（イラスト参照）となります。手刀をイメージするとき、刃に当たる部分です。

腸骨筋の施術に使う部分

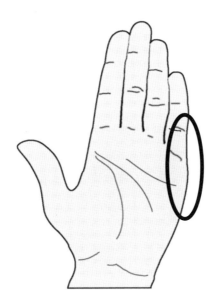

膝の内側が痛む場合

　膝の内側が痛い場合は、大腰筋の疲労や緊張によるものがほとんどです。

　第1章、第2章で説明したとおり、大腰筋は腸腰筋の上部に位置しており、この筋肉が停止しているあたりには閉鎖神経と呼ばれる神経が腰椎から左右に出ています。閉鎖神経は腹部から脚の付け根を通り、太ももの内側の皮膚や、大腿内転筋をはじめとした筋肉を支配しながら、膝の内側までつながっています。

　よって、大腰筋が緊張していると閉鎖神経に圧迫性の神経障害が起こりやすくなり、膝の内側の痛みとなってあらわれるのです。

　さらに、閉鎖筋も緊張しているとその程度は強まります。太ももの内側の皮膚に違和感がある、という人もいます。

　股関節の手術を受けた人が、術後に膝の痛みを併発することがあります。これは股関節の大手術によって閉鎖筋が障害を受けてしまった結果だといわれています。女性に膝の痛みが多いのも、分娩によって閉鎖神経を痛めるからだと考えられています。

　1．大腰筋の手当て
　2．回復が思わしくない場合は閉鎖筋の手当て

　次に、鼠径部に手を当てます。

　しこりのような、硬い部分に触れたら腰痛と同様に、手のひらを自然に沈みこませるようにして患部を確認し、時おり手を浮かせながら手当てを続けます。患者さんが熱感を訴えたら、疲労物質（痛み物質）が流れ出したサイン。そのまま手当てを続けます。

　患者さんによっては、痛みが腸骨筋のある付近から太ももの外側〜膝裏へと移動していくケースもあります。疲労物質が流れてい

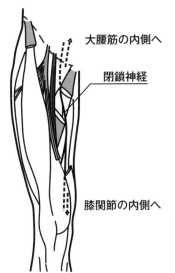

膝の痛み

大腰筋の内側へ

閉鎖神経

膝関節の内側へ

膝の痛みにも腸腰筋が
関係している。
また、膝の後ろの筋肉群も
大きく関係している。

るために起こるので、痛む箇所の移動に伴い手を当てる位置も動か
していき、排出を促します。

膝の外側が痛む場合

　一方、膝の外側が痛い場合には、腸骨筋によるものがほとんどで
す。腸骨筋は、太ももの裏側を通って膝につながっている大腿二頭
筋と連動し、膝を曲げたり、椅子から立ち上がったりするときに使わ
れます。ともに日常動作で酷使しやすい筋肉といっていいでしょう。

　これらの筋肉が緊張していると、外側大腿皮神経という神経への
圧迫性障害が起こりやすくなります。この神経は、腸骨筋から出て
太ももの側面を通っています。

　特に、腸骨筋の上部3分の1程度の範囲の緊張が高く、多くの患

者さんは、ここをターゲットにして手当てすると楽になることが、今までの施術経験から分かっています。

　使い過ぎおよび加齢によっても組織の柔軟性が失われやすく、疲労が蓄積しやすいのです。

　1.　腸骨筋の手当て
　2.　回復が思わしくない場合は閉鎖筋の手当て

　次に、骨盤を包み込むようにして手を当て、もう片方の手を上から重ねます。骨盤をつかむようにしてはいけません。当てているほうの手に力を入れないように。

　このとき、患者さんの中には臀部に痛みを訴える人が少なくありません。これは腸骨筋が硬くなっているサインの一つです。

足底筋が疲労している場合も

　階段を下りるときに膝痛がある人のなかで、しばしばアキレス腱付近の痛みも訴えることがあります。腸骨筋とともに、足底筋の手当ても行うと効果的です。

ねんざ

　スポーツ外傷の中でも多いものの一つ、ねんざへの手当て法です。ねんざは足首の関節（足関節）が可動域を越えることにより、筋肉が急に伸ばされたために、筋肉や関節包、靱帯などの組織が損傷を受けて起こります。このとき、痛みの元になる物質もこれらの組織に急激に発生し、滞留しています。急性の痛みなので、手当てで痛み物質のスムーズな排出を促せば短期で消失します。

1. 片方の手で足首を軽く支え、もう片方の手で足の甲を持って、足首から下をまっすぐ、痛みが出ない範囲で引っ張ります。

2. 左右どちらか痛みが出ない方向へ、数回軽く回します。

3. 痛む場所に手を当てます。腰痛や膝痛と同様、熱を感じたら引き離すように手を浮かせます。痛みが取れるまで繰り返します。

骨折も、手当てをすると治りが早くなる

骨折は医療機関での処置が必要な怪我ですが、処置後につるた療法を行うと、疼痛を鎮め接合を早める効果が期待できます。患部は動かさずに、両手で包み込むようにして熱感を取り除きます。

「むちうち症」を解消して肩、腕、背中の痛みを改善

むちうちは西洋医学の "やっかいもの"？

　腰痛や股関節痛、膝痛の多くは腸腰筋の疲労や緊張を原因とする「腸腰筋症候群」であることを説明しました。

　やはり患者が多い肩こり、首の痛み、腕のしびれといった上肢の痛みにも、実はあるインナーマッスルが関与している可能性が高いことを、数年来の診療の積み重ねから見いだしました。

　みなさんは「むちうち症」と聞いて何をイメージするでしょうか。

　やっかい、治療に手を焼く、不快な症状がいつまでも続く……そんなネガティブな言葉がつきまとう、多くの方はそんなふうにむちうち症をとらえているのではないでしょうか。

　多くは交通事故で起こる頸椎部の怪我で、痛みや熱感などさまざまな症状があらわれ、頭痛や肩の痛みなど周辺への影響ももたらし、かつ治りにくい——こんな病像が描かれるのではないか、と思います。

　現代医学でもいろいろ研究が行われているようですが、いまひとつはっきりしたことが分からない、あいまいな障害ととらえられています。

　画像検査では器質的な異常が見つからず、薬物療法や固定、物理療法などさまざまなアプローチが試みられても、数カ月から年単位で症状を引きずるケースも少なくないことから、「ごねているだけ」「働きたくないから甘えているだけ」などと突き放す医師もいると聞いています。

　ところが、この「むちうち症」と呼ばれる障害には、実はとんで

もない事実が隠されているのではないか、と、私は数年来、多くの施術を通して疑うようになりました。

　おそらく私の仮説は真実である、と今では確信に近いものを感じています。

　なぜなら、医師に見放されたり、数年どころか何十年にもわたり苦しんできた患者さんが、私の見立てで施術を受けることで続々と、症状の消失へ向かうからです。

　私はこれまで長年にわたり、股関節の痛みは腸腰筋症候群による腰痛の一種で、人工関節は不要であると主張し続けてきましたが、その問題と同じように、**むちうち症に対しても、西洋医学はまったくの見当違いをしている**のです。そのために、大勢の患者さんが苦しんでおられます。

　実は、むちうち症解消への有効な手立ては存在するのです。

首から全身の症状へ。手立ては対症療法のみ

　現代の西洋医学では、「むちうち症」は「交通事故によって受けた頸椎の障害」であることを前提にしています。また、一般的にもそのようにとらえられています。

　つまり急性の障害です。しかし急性の段階で治ることはなく、ほとんどのケースで慢性化することや、時間が経過してから局所の痛み以外にも、さまざまな症状があらわれてくると、医学でも認識されています。

そして「むちうち症」では、あらわれてくる症状が非常に多岐にわたることも特徴です。

ざっと挙げるだけでも、頭痛、腕の痛み、しびれ、顔面の痛み、顎関節症、めまい、耳鳴り、聴力低下、眼精疲労、腕や脚の筋力低下などがあります。皆さんにとってもむちうち症といえば思い当たる症状ばかりではないでしょうか。

そればかりではありません。痛みや不快感からくる悪心や吐き気、イライラ、注意力欠如、不安感、全身倦怠感、睡眠障害といった、精神面と関係が深い症状も高頻度で起こり得ます。長期にわたれば、うつや認知機能低下などの深刻な状態に至るケースも少なくありません。

ことの発端は「頸部の怪我」です。それがこれほどまでにたくさんの、生活の質を落とす症状を起こす可能性があるのです。これは西洋医学でも認識されています。

しかも、こうした症状は、頸部の痛みが軽快し、忘れたころになって同時多発的にあらわれてくることもあります。あるいは、事故当時はなんともなく、むちうち症との診断もつかなかった人が、何年も経ってから心身の不調を訴えるようになる、ということもあります。これも西洋医学では認識されています。

治療法はどうでしょうか。これについて西洋医学では「十分なエビデンスのある治療法は確立されていない」とのスタンスです。ではどうするかといえば、患者さんが一番困っている症状に対する治療、すなわち対症療法に終始することになります。

大きく薬物療法と物理療法に分けられ、前者では投薬や、痛み止めの神経ブロック療法、筋弛緩剤などが試みられます。

しかしいずれも根治を目指すものではありません。いっとき楽に

なっても、必ずぶりかえします。しかし、むちうち症の場合、画像検査をしても異常は見つかりません。

　長引くほどに治療の手立てがなくなり、そうすると「メンタルの問題」と精神科に回されてしまうこともあります。抗不安剤や抗うつ薬などが投与され、患者さんはますます厳しい状況に追い込まれてしまいます。

1. むちうち症は頸椎損傷（交通事故による急性の障害）
2. 症状は首、肩、頭部から全身にわたり、さらに精神症状も起こす。自律神経不全も
3. 事故後、年月が経過してから症状が起こることが多く、再発も多い
4. エビデンスのある治療法は確立されていない

ここまでが、西洋医学における「むちうち症」の認識です。

治らない原因は“胸椎”にあった！

それでは私はどのように考えているのか。

　私は今までの数千にのぼる施術を通して、ある仮説を立てました。それは**「むちうち症は、頸椎の損傷ではない！」**ということです。

　何を言っているのだろうと思われるかもしれません。急性期の症状は首にあらわれ、だからこそむちうち症との診断の根拠になるのではないか、それを首ではないというのでは矛盾もはなはだしい、

という声が聞こえてきそうですが、私は確信しています。

　そもそも、むちうち症はなぜ、体のあちらこちらに症状があらわれたり、精神的にもダメージを及ぼしたりするのでしょうか。そして、なぜなかなか治らないのでしょうか。

　頸椎の損傷、とはっきり分かっているのでから、損傷を治す方法がきちんと研究され、確立されてしかるべきです。

　それが医学の発達した今日でも進まず、謎めいた難病のように扱われ、患者さんを薬づけにしたり、挙句の果てに「気のせい」などとさじを投げられるような病気になってしまっているのは、そもそも医学上の定義が間違っているからではないでしょうか。

　私の考えでは「むちうち症」は頸椎の損傷ではないのです。

　傷害を受けているのは頸椎ではなく、実は胸椎の上のほう（胸椎1〜3番）、というのが私の見立てです。

　胸椎の1番から5番までは、個々に椎骨関節という非常に小さな関節があります。その関節に着いている棘間筋と呼ばれる筋肉こそが、むちうち症において損傷を受けている筋肉なのです（P99図参照）。

　棘間筋は、椎骨と椎骨をつなぎ合わせているごく小さなインナーマッスルで、頸椎にも腰椎にも存在します。むちうち症に関連するのは胸椎に着いている「胸棘間筋」です。

　人体にはたくさんの関節がありますが、胸椎関節はなかでも最も動かない関節の一つです。したがって、胸棘間筋も全身の数ある筋肉のなかで、最も動かない筋肉といえます。

　むちうち症が起こるとき、この、いつもは動かない胸椎に、事故の衝撃で急激かつ不自然な力が加わり、瞬間的にねじれたりずれたりし、いとも簡単に障害を負ってしまうのです。

胸棘間筋

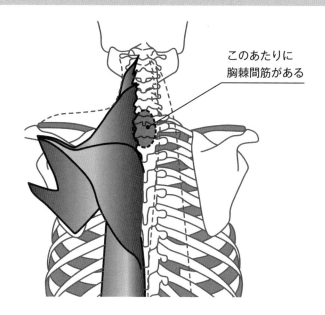

このあたりに
胸棘間筋がある

　頸椎はといえば、首はもともと前後左右、回旋など多方向への動きが可能ですから、本来、衝撃を緩和する能力にも優れているはずです。多少の傷害を受けても、軽ければ自然に治るでしょう（ただし頸椎損傷などの重傷を負うと命に関わります）。

　胸棘間筋は、動かない＝筋肉が収縮しない、ということであり、それだけもともと血液循環が少ないといえます。

　血液循環が少ないということは、疲労物質などの老廃物も流れにくいことを意味します。ひとたび障害を負うと、こうした痛みのもとになる物質が長期にわたり停滞してしまうということです。

　したがって、ここが傷つくと治りにくいのです。

全身症状は自律神経の乱れから

　しかもこのことにより交感神経が持続的な刺激を受け、慢性的な血行不良を起こすことも考えられます。

　自律神経の乱れが痛みを起こし増幅させるメカニズムは、第1章で話しました。自律神経のうち緊張をつかさどる交感神経が優位に立つと、血管が収縮するため、血行不良に陥り、痛み物質などの老廃物が滞りやすくなり痛みの元になるという考え方です。

　胸棘間筋は小さくても独立した筋肉ですから、血管はもちろん知覚神経も通っています。当然、自律神経の支配下にあるわけです。

　このうち大きな交感神経の束（これを交感神経節といいます）は、首の付け根のところにあって、そこを星状神経節といいます。

　ここがちょうど、むちうち症で怪我を負う場所に近いのです。

　むちうち症になると、体のあちらこちらにさまざまな症状があらわれるのは、この、全身の交感神経の拠点ともいえる星状神経節に刺激が及ぶからにほかならない、というのが私の考えです。

　ここが刺激を受け、興奮をつかさどる交感神経が活発になれば、血管は収縮するので血流不足に陥ります。局所の血管のみでなく全身の血管が制御されるので、症状も全身に及ぶというわけです。

　線維筋痛症やリウマチといった、神経難病とされている疾患も、根底にはむちうち症により星状神経節に刺激が及ぶことで起こるのではないか、というのが私の考えです。実際に何人もの、リウマチ等で完治は望めないと医師に言われた患者さんが、私の施術で劇的に症状が消失しているからです。

症例を一つ紹介します。

〈症例〉30年前のむちうち症の影響で腰、首、肩に痛みが（70代男性 Mさん）

　数年来、腰や首、肩が重だるく、長時間立っていられなかったり、歩くのもおっくうになったりしていましたが、年のせいだ、仕方ない、とだましだましきてしまったMさん。ある日、腰と首の両方に、急に今までに経験のない、強い痛みが出たためにびっくりして、これはさすがに医者に見せたほうがいいだろう、と近所の総合病院の整形外科を受診しました。

　検査の結果、腰は脊柱管狭窄症、首は頚椎ヘルニアと診断。どちらも相当進行しており、神経の圧迫を取るには外科的な方法しかない、と医師に勧められ、両方とも手術を受けてしまったのです。

　しかし痛みは残ってしまい、以降は薬漬けの日々。筋弛緩剤や痛み止めが投与され続け、加えてリハビリにも通うように。ところが、治りたい一心で一所懸命に運動療法に取り組んだにもかかわらず、かえって痛みが増すばかりです。手術前は強い痛みがあっても、なんとか歩くことはできていたのに、まったく歩けないほどになってしまいました。

　リハビリを担当した理学療法士の紹介で当院にやって来たMさん。奥さんに付き添われ、歩行器で来られました。一目見て、私には全身の筋硬化が進んでいるのが分かりました。案の定、施術台に上がろうとしても体が硬直し、うつぶせにもなれず、痛みすら感じられない、と言います。紹介と言えば聞こえは良いですが、リハビリ施設で手に負えなくなってしまったというのが本当のところではないかと思います。

触診したところ、胸椎周辺の筋肉が特にこわばっており、過去にむちうち症をやっているように思えました。そこで、交通事故に遭ったことはないですか?と訊ねたところ、しばらく考え、「そういえば、30年くらい前になるけれど、車でぶつかったことがあった」と言います。「そんな昔のことが、なにか関係あるのですか?」「はい。そのときの衝撃が今になって、腰や首、肩に出ているのです」

　Mさんはとても驚いていました。また、むちうち症との診断は初めてです、とも言っていました。

　腰も触診し、痛みの直接の原因は大腰筋の緊張にあることが分かりました。しかしこちらも、元はといえばむちうち症の影響を受け、こうなってしまったのです。

　それが分からないまま、リハビリでさらに疲労を重ねることになり、痛みが取れないどころか増してしまった、と考えられます。

　交通事故によるむちうち症で胸棘間筋を痛めて以来、ずっとその刺激により交感神経が緊張していたのではないかと思います。それによる血管収縮、血行障害が30年もの間、慢性化して、筋肉疲労が積み重なり、腰痛や、首、肩の痛みとなってあらわれたのです。

　それから週2、3回、当院に通っていただき、今も継続中ですが、少しずつ良くなってきています。薬はすべて止めても痛みが出てこなくなった、と喜んでいらっしゃいます。

難病の根っこも
むちうち症の可能性が

　交通事故などで胸椎の棘間筋を痛めると、時間の経過とともに蓄

積された老廃物や疲労物質の悪影響が、体のどこにあらわれるかは
人によってまったく違います。腰痛もあれば腕のしびれ、足の痛み
もありますし、リウマチのようなこわばりや拘縮が出たり、パーキ
ンソン症候群のようなバランスを欠いた歩行になったりさまざまで
す。しかしいずれも、自律神経障害による末梢組織の血行障害の結
果といえます。

　やっかいなのは、ほとんどのケースでむちうち症時に負った首の
怪我自体は軽快しており、痛みなどの症状はなくなっているので、
本人がむちうち症のせいと気づかないことです。例えるなら、あと
から出てきた体のあちらこちらの症状は"分家"のようなもの。"本
家"である首の症状がないために、あたかも分家一つひとつが本
家のように思えてしまうので、誤った対処がなされてしまうのです。

　本家がむちうち症であり、胸棘間筋に問題があることが分かりさ
えすれば、ここを調整することで、すべての症状が消えてしまうこ
とだってあるのです。

　しかし、医療機関にそのような考えはありませんので、有効な手
立てが取られるはずもありません。それでどうするかといえば、患
者さんはせめて一時しのぎにでもなればと鎮痛薬などの多量の薬に
頼るようになってしまいます。その結果、副作用と思われる不快な
症状までもが加わってしまうのです。

　むちうち症というたった一つの根っこが分からないために、腰、
肩、足……と治療が上乗せされていき、患者さんの体は痛めつけら
れる一方。挙句の果てに「原因不明」「精神的な問題」とさじを投
げられたのではたまったものではありません。

　なお、むちうち症といえば前述のように、交通事故などの明らかな
アクシデントが連想されますが、その震源地ともいえる胸棘間筋は、
日常生活のささいと思われる動作でも障害を受けることがあります。

つまり、**知らない間にむちうち症になっていることも多々ある**のです。

　例えば寝違えでも胸棘間筋に無理な力がかかったむちうち症といえますし、よろけて壁や床に不自然に手をついたり、高い場所や奥のほうにあるものを取ろうとして無理に体や腕を伸ばしたりねじったりした拍子に、胸棘間筋が障害を負ってしまうこともあります。

　むちうち症は、一般に考えられているよりもずっと身近で、いともたやすく起こる怪我なのです。

　今、全国でどれだけの人が、原因不明のつらい症状に苦しんでいるでしょうか。苦痛のあまり自殺を考えるような人も少なからずいます。西洋医学ではお手上げとされている慢性疾患や難病が、実はむちうち症の結果かもしれないことを、治療家としてはぜひ、覚えておかなくてはならないと思っています。

〈むちうち症の手当て〉

1.　まず、触診として、胸椎1〜3番の棘突起の間に、人指し指または中指を入れるようにして、腰の方向へと斜めに軽く押します。
　　このとき、真下へ押すと椎骨やその周辺を傷める恐れがあるため、必ず斜めに押します（P105 写真上）。

2.　硬くなっている部分があり、そこを押したときに患者さんが痛がれば、むちうち症と考えられます。
　　ただし、患者さんに聞いてみて痛くない、と言われた場合も、押した感じが硬いと痛みすら出ないことがあるので、やはりむちうち症が疑われます。
　　1〜3番目を含む、下（背中）のほうまで痛む人は、むちう

胸椎1～3番の棘突起の間に、人指し指または中指を入れるようにして、腰の方向へと斜めに軽く押します。

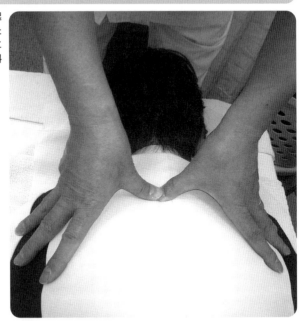

痛い場所に、指の腹を当てて、上からもう片方の手を重ねます。

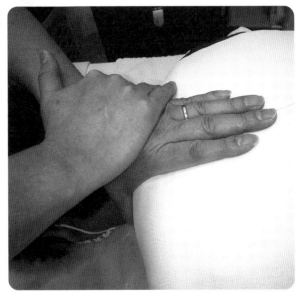

ち症に加え筋肉疲労の可能性があります。

4番目から下のみ痛い場合、今までの施術実績から、薬の副作用によるケースが多数あります。

3. 痛い場所に、指の腹を当てて、上からもう片方の手を重ねます（P105写真下）。

押したりもんだりせず、当てたままにして熱を感じたら、引き離すようなつもりで何度か浮かせては当てる動作を繰り返します。

顎関節症

顎関節症は、口を開閉するたびに痛んだり、音が鳴ったりし、ひどくなると話したりものを食べたりすることも苦痛になります。飲食や会話がままならないのですから著しく生活に支障を及ぼすことは容易に想像ができます。

加えて、眼痛、頭痛、めまい、耳鳴り、肩こり、背部痛、腰痛、などの自律神経系と思われる不調を併せ持つケースも多数あります。

西洋医学の考え方では、このやっかいな症状は、顎の関節が正しい位置からずれるために起こる、とされているようです。ここでもやはり、関節の問題、としているわけです。

しかし、繰り返しになりますが、関節そのものは痛みを感じません。痛みがあるとすれば、関節包に着いている靭帯または周辺の筋肉と考えられます。

顎関節症の手当て

頭側から両親指を胸鎖乳突筋に当て、しこりや張りを感じたらその場所に手のひらを当てる。熱を感じたら浮かせるようにして痛みを取る。

　つまり、この部分が疲労したり緊張したりすることで、痛み物質などの老廃物が滞留し、関節部位の痛みとなってあらわれているのです。

　関節部位の痛みを起こすトリガーポイントが周辺の筋肉にあり、そこが緊張し痛み物質が滞留するために、顎関節をはじめ全身のあちらこちらに、関連痛が生じるという考え方です。その、代表的なトリガーポイントが胸鎖乳突筋なのです。

　実際に、胸鎖乳突筋への手当てにより、顎関節の痛みが劇的になくなった症例が多数あります。

　顎関節症の要因の多くは、胸鎖乳突筋が通っている首の左右のアンバランスにあります。片方でしか噛んでいない、頬杖をつく、寝るときにいつもどちらか一方を下にし、横向きになる、など、毎日の習慣で悪い癖が付いてしまい、力のかけかたに不均衡が生じるた

めに、顎を上下させる顎関節の左右のバランスも乱れがちになるのです。

　中には、ものがぶつかったなどの外傷で起こるケースもありますが、ほとんどが生活習慣による、といっていいでしょう。

〈顎関節症の手当て〉

　1.　患者さんには仰向けに寝てもらいます。頭側から、両親指をP107の写真のように胸鎖乳突筋に当てます。

　2.　しこりや張りを感じたら、その場所に手のひらを当てます。熱を感じたら浮かせるようにして痛みを取ります。

　ただし、胸鎖乳突筋の手当てをしても回復が思わしくない場合は、むちうち症が疑われるので、胸棘間筋の手当ても行います。

　ここでおさえておきたいのは、

　患部（患者さんが痛みを訴える場所）の筋疲労や緊張と、むちうち症による痛みは別のものです。

　患者さんが「ここが痛い」と言ったとき、その場所の筋肉が疲労、緊張して痛みが出ている場合と、むちうち症による胸棘間筋のダメージが、自律神経を介してその場所に痛みを及ぼしている場合が考えられます。

　また、両者を併せ持っているケースもあります。

　むちうち症は怪我であり、胸棘間筋が負った急性のダメージが、時間を経て慢性化した結果、離れた場所にも症状があらわれます。

　したがって、施術の順番としては、まず患部（患者さんが痛いと言っている場所）を手当てし、筋肉疲労や緊張による痛みを取り除

くことを試みます。それでも治らない場合は、むちうち症によるダメージが自律神経を介して各所に及んでいると考え、胸棘間筋への手当てを行います。

　次の腱鞘炎も同じです。

腱鞘炎

　腱鞘炎は、指や手首の関節に痛みが出る疾患として知られています。骨と筋肉をつなぐ腱は、腱鞘と呼ばれるまさに刀の「さや」のような、トンネル状の組織の中を通っています。この腱鞘がなんらかの要因で炎症を起こし狭まることにより、腱が圧迫され、痛みが生じると考えられています。

　美容師や調理師、楽器の演奏者など、指をよく使う職業に多いとされていますが、近年はパソコンの普及から、指を酷使し腱鞘炎になってしまうというケースも少なくないようです。スマホの操作などで、特定の指に負荷が集中し起こる場合もあります。

　いずれにしても、痛みを発している元は筋肉組織の一部である腱であり、関節ではありません。圧迫を受けた腱やその周辺の血流が滞っているために痛むので、その部分の血行を促す施術が有効です。

　ただし、私がこれまでに診てきたなかで、やはりむちうち症が大本の要因になっているケースがかなりありました。患部の手当てをしても回復が思わしくない場合や、過去に交通事故などでむちうち症になったことが分かっている患者さんに対しては、胸棘間筋の手

当ても行う必要があります。

<〈腱鞘炎の手当て〉

1. 痛む場所が指の場合、片手で握ります（力をかけずに包み込むように）。
   もう片方の手は肩に当てます。
   痛む場所が手首の場合、両手ではさむようにして掌底を当てます。

2. 熱を感じたら浮かせるようにして、痛みを引き離します。

その他の手や肩の症状

　一般的に、肩関節が痛むと表現される四十肩や五十肩も、実際には関節周辺の筋肉組織の緊張や疲労が原因で痛みが起こっています。それ以外のいわゆる肩こり、首のこりも含め、心因性の緊張が痛みを増幅させている場合もあります。その場合は第6章のストレスコントロールも併せて行います。

　手のしびれは、その多くが、頚椎から出ている神経の束が鎖骨の下付近で圧迫されるために起こります。よって、鎖骨部分への手当てが中心となりますが、ほかにも腕を長時間上げたままにしたなど、腕や肩の筋肉疲労によっても起こり得ます。仕事や生活の様子を聞き、酷使しているようであればこれらの筋肉をほぐす施術も行

います。

〈四十肩・五十肩の手当て〉

1. 仰向けに寝て、痛みを感じる直前の高さまで腕を上げます。

2. 痛い場所を手当てします。

3. 腕を上げ下げし、可動域が広がっているか確認します。

4. 座った姿勢で3と同じように腕を上げ下げします。

〈肩こり、首のこりの手当て〉

1. うつぶせ、または座った姿勢で、特に張りのある場所を手
   当てします。

2. 回復が思わしくない場合は、第6章のストレスコントロー
   ルも行います。

〈手のしびれの手当て〉

1. 仰向けに寝て、頭側から親指を鎖骨にかける感じで、手を
   置きます。

2. そのまま鎖骨下を手当てします。

ストレスを軽減して
痛みを改善

ストレスは
痛みの改善を妨げる

　痛みは主観的な感覚です。同程度の痛みでも、非常に痛がる人も
いればたいしたことではないという人もいます。また、冷えている
と痛みを強く感じるとか、起床時に痛むなど、状況によっても左右
されます。

　ストレスもそうした、痛みの感じ方を操作する因子の一つといえ
ます。

　現代社会はストレス社会などと揶揄されるように、ストレスの
まったくない人などいません。しかし慢性的な痛みに長らく苦しめ
られている人は、過剰なストレスがその改善を妨げているのかもし
れません。

　股関節痛を例に挙げると、当院ではまず腸腰筋への施術を行い、
様子をみて痛みの消失が不十分であれば閉鎖筋を施術します。通常
はこれで改善が見られますが、それでも痛みが取れない、という
ケースも決して珍しくはありません。

　そのようなときに、「ストレス」の関与が疑われるのです。

　不安が強いとどことなく体が痛む、ということは誰でも思い当た
る節があるのではないでしょうか。あるいは、急なトラブルなどで
不安に陥ったとたん、それまでなんともなかったのに体が痛み出し
た、という経験がある人もいるのではないでしょうか。

　過剰なストレスは自律神経のバランスを崩し、緊張をつかさどる
交感神経を優位にします。血管が収縮するため血流不足に陥り、筋
肉疲労が取れにくくなるなどの悪影響を及ぼすのです。

　ここで、自律神経について一般的な知識をおさらいします。治療家の方はすでによく知っている事柄かと思いますが、本書は治療家以外の一般の方も手に取ることや、つるた療法で体の痛みだけでなくストレスコントロールも行うことに至った背景を理解していただくためにも、本章の前提として記載しておきます。

　私たちは経験的に、心と体の状態はリンクしていることを知っています。例えば、緊張する場面ではドキドキして顔が赤くなるとか、逆にのんびりしているときには呼吸がゆっくりになる、などです。

　このとき、自律神経という、生命活動のすべてに関わる機能を調節し、活動と休息をコントロールしている神経系が密接に関わっています。血流や血圧、体温の維持、消化や排せつなど多岐にわたり、脳の中枢神経からの命令で働いています。

　自律神経は、興奮を起こして活動を促す「交感神経」と、休むときに働いて身体の回復や修復に作用する「副交感神経」の２つから成ります。

　交感神経はおもに活動しているときに働き、副交感神経はおもに休息しているときに働きます。

　交感神経が優位な状態になると血管が収縮し、血圧が上がります。心拍数も増えて、体温が上がります。

　副交感神経が優位に立つと、血管が拡がって血圧が低下し、心拍数は低下します。体温も下がって呼吸が遅くなり、筋肉も緩んで眠りに就くのに適した状態になります。

　一方、消化管の動きは交感神経が優位のときには鈍くなり、副交感神経が優位のときに活発になります。

　例えばなにかに集中しているときや緊張しているとき、食欲を感

じないことが多いのではないでしょうか。むしろリラックスしてい
るときに空腹を感じ、無性に食べたくなるものです。

　これは、胃腸などの消化管が副交感神経の支配下にあることのあ
らわれです。

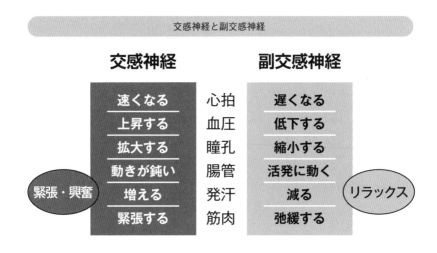

交感神経と副交感神経

交感神経		副交感神経
速くなる	心拍	遅くなる
上昇する	血圧	低下する
拡大する	瞳孔	縮小する
動きが鈍い	腸管	活発に動く
緊張・興奮　増える	発汗	減る　リラックス
緊張する	筋肉	弛緩する

　交感神経と副交感神経は、どちらか一方ばかりが強くても、うま
くいきません。車がアクセルばかり踏んでいても、ブレーキをか
けっぱなしでも事故の元になることと同じです。どちらもバランス
良く作動させることで、心身をつかさどる各機能が安定した状態に
なるよう、コントロールされています。

　私は門外漢ですが、漢方の領域では、心身のバランスが保たれた
状態を「中庸」と呼んでいるようです。メンタルを例に取れば、イ
ライラもせず、クヨクヨもせず、穏やかであることが中庸に当たる
と思われます。

　現代社会は残念なことに、このバランスの取れた状態をつくるこ
とが非常に困難であるのが実情です。夜更かし、睡眠不足、仕事や

家事に追われる毎日、複雑な人間関係……これらはみんなストレスの元になります。イライラやクヨクヨの連続は、交感神経が優位になりやすい状況といえます。望まないのにアクセルを踏み続けているようなものなのです。

　自律神経失調症という病名を聞いたことのある人は多いと思います。
　リラックスしなければならないときに自律神経が興奮し続ける、逆にエンジンをかけなければならないときに不活発になる、といったように、強いストレスなどが原因で自律神経のバランスが崩れ、めまいや肩こり、下痢や便秘、イライラといったさまざまな症状が起こります。
　交感神経優位が続くために起こりやすい病気であり、背景に過剰なストレスがある現代病の一つといえるでしょう。

トラウマは
しつこい痛みの元に

　ストレスによる痛みがやっかいなのは、本人がストレスのせいと気づいていないことが多い点にあります。転んだりぶつけたりなどの明らかなアクシデントは誰でも覚えているものですが、まさかストレスが痛みを起こしているとは、なかなか思い至らないのではないでしょうか。
　特に働き盛りの男性に多く見られるのが「自分はストレスなど感じていない」と言い張るケースです。しかしたいていの場合、無意識のうちにストレスを受けており、それが痛みの原因になっている

ものです。見方を変えれば、精神的な休息やメンテナンスを促す、体からのSOSともいえるでしょう。

なかなか治らないだけではなく、一時期良くなったかと思ってもすぐぶりかえしてしまう患者さんのなかにも、ストレスを抱えている人が少なくありません。

過去の衝撃的な体験をトラウマとして引きずり、それが痛みを支配している場合はさらにやっかいです。

トラウマがあるために痛みがなかなかすっきりと取れない患者さんも少なくありません。

こちらも、当の本人は忘れているか、まさか痛みと関係しているとは思わず、聞いてもすぐに答えられないことが多いのですが、じっくり話を聞くと、過去のつらい体験などが語られることもあります。

それが精神的なしこりとなり、ときに無意識下に追いやられ、普段は忘れていても、心身が疲労しているときやなにかのトラブル、アクシデントが起こった際に、強烈かつしつこい痛みの元になっていると考えられます。

こうした患者さんに対し、つるた療法が精神面でのケアにも応用できることが、これまでの多くの施術経験から分かってきました。つまり、手当てによってストレスコントロールを促すことが可能であり、それによって、痛みの早期解消を目指せるのです。

具体的には「こめかみへの手当て」です。頭蓋骨は23個の骨で構成されており、その継ぎ目も関節といえます。こめかみを中心に、頭を包み込むようして手のひらを当てることで、その関節部位からエネルギーが脳内に入り、血液循環が良くなると考えています。

脳内の血流が良くなれば、脳細胞に酸素や栄養が十分に行きわたります。それとストレス解消との関連ははっきりとは分かりません

が、体の痛みが疲労物質の蓄積であるのと同様に、ストレスによる精神的な不調も、脳内物質のバランスの崩れなどが起因となっているのではと思います。

　脳神経が本来の機能を取り戻すことで、脳内物質の偏りが改善され、精神面にもなんらかの良い影響がもたらされているのではないかというのが私の考えです。

　心の深いところに食い込み根を張っているトラウマにも、時間はかかりますが対処できるようになっています。

　ただし、このストレスコントロール法は、すべての人に有効というわけではありません。なかには何度行っても、ストレスが取れない患者さんもいます。ほとんどの場合、そういうときには患者さんがそもそも手当てによるストレスコントロール法を信用していません。懐疑的だと脳への血流改善作用も高まらないのかもしれません。

〈ストレスコントロール法の手順〉

1. 患者さんには目を閉じてもらいます。両目を手で軽くふさぎ、まぶたの裏の色を聞きます（必ず明かりの下で行います）。
   通常は黒。ストレスやトラウマがあるとほかの色が見えることがあります。

2. ふさいだ手を離し、目は閉じたままで両側のこめかみに掌底を軽く当てます（P120写真参照）。

3. 手当てをしたまま、まぶたの裏の色が変化しているかどうかを聞きます。

ストレスが取れていくにつれ、白→黒→赤（または紫、緑）→
黄色→まぶしい光　の順に変化します。

4.　色が変化しなくなったときは、こめかみから手を離し、目
　　をふさぎます。患者さんには目を閉じたまま上下左右に眼
　　球を動かしてもらいます。

5.　1から繰り返し、色が消えてまぶしくなるまで続けます。

ストレスコントロールを促す手当て

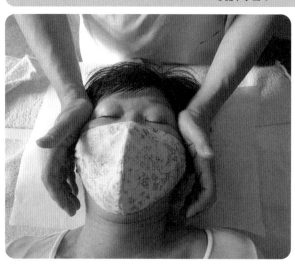

両側のこめかみに掌底
を軽く当てる。

ストレスと色の関係
　赤（オレンジ等）……認識できているストレスがある状態。スト
　レス要因がはっきりしています。
　　この場合は比較的早く取れます。

黒（灰色等）……認識できていないストレスがある、または解決方法が分からない強いストレスがあります。

心因性うつ病やストレス障害など、体に強い痛みや不快感が出やすい。

白（クリーム色等）……強いストレスがあり、思考停止・意欲が低下している状態です。

うつ病ほか精神障害の可能性があります。

黄色……分岐点。色が変化するときに出てくる色。

紫……最近のトラウマ。

緑……生後〜中学生くらいの間のトラウマ。本人は覚えていないことも多い。

円の形状と変化があらわれることもあります。

まぶしい光……ストレスが取れたとき、光が差し込んだようにパーッと明るくなります。

第 7 章

「つるた療法」応用編——患者さんに教えてあげよう

手当て療法の効果を高める セルフトレーニング

本章では、患者さんが施術を受け痛みがなくなったあと、再びぶりかえしのないよう予防することを目的として、当院でアドバイスしているストレッチ等のセルフケアについて述べます。

　施術により痛みが消失しても、普段の生活で絶えず使っている足腰の、その使い方が不適切であれば、それはまた腸腰筋を疲弊させることになり、痛みの元になります。繰り返しているように、痛みの原因は疲労ですから、痛みがなくなったからと酷使するようになれば再び痛くなるのは目に見えていますし、姿勢や動作に癖があると局所的に無理な力がかかりやすくなり、その結果、腸腰筋が疲弊してやはり痛みの原因になります。

　患者さんが施術後も、痛みから恒常的に解放され良好な状態を保つには、普段から腸腰筋をケアし、疲れさせないようにすることです。

　その方法として、腸腰筋のストレッチを習慣にすることは、痛みの再発を予防するだけでなく、患者さんが自ら外からは触ることのできない腸腰筋の存在を意識づけるのにも効果的です。つまり、健康は自分で守るという意識をしっかりもち、生活の中で自然に、コンディションを整える行動ができるようになってくるのです。今まで張り切りすぎて足腰を痛めつけてしまった、とか、自分を追い込むのが好きで無理なトレーニングをしていた、といった悪しき習慣を見直し、いたわりながら大事に使うことができるようになってくるということです。

　もちろん、ストレッチは筋肉の緊張をほぐし、血流を良くしますから、施術後も日々たまっていってしまう疲労物質を速やかに流し、痛み予防にたいへん効果的です。

　しかし、ストレッチ＝ただ伸ばせばいい、というものではありません。やり方によってはかえって筋肉を痛めてしまうことがあります。患者さんにアドバイスする際には、まず次に挙げる、一般的な

ストレッチの注意点を必ず理解していただくようにしてください。

・無理に伸ばさない

　ストレッチは痛みを感じるまで伸ばしてはいけません。肉離れなどの怪我につながる恐れがあるからです。気持ち良いところで止めるようにしましょう。

・時間をかけてゆっくり伸ばす

　ストレッチはできるだけゆっくりと行うことが鉄則です。筋肉は急激に伸ばされるとかえって緊張が高まり、縮もうとするからです。勢いや反動をつけるのも厳禁です。筋肉が気持ち良く伸ばされているのを意識しながら少しずつ行っていき、痛くなる寸前で止め、20秒程度その状態を保持しましょう。

　戻すときもできるだけゆっくり、少しずつ行います。

・ストレッチしている筋肉を意識する

　自分が今、どの筋肉を伸ばしているのかをしっかり認識し、伸ばされているのを感じながら行うことで、効果的にストレッチされます。

・呼吸も意識する

　ストレッチのときに息を止めないようにしましょう。自然な呼吸をしながら行います。血液循環が促され、酸素が血中にスムーズに取り込まれるようになります。

・部分的にではなく、トータルで行う

　右だけ、左だけ、ということではなく、体の左右とも同じようにストレッチしましょう。また、太ももなら前側だけでなく後ろ側

125

も、足腰をストレッチしたら上半身も、といったようにトータルで行うことで全身のバランスが整い痛みを予防します。

腸腰筋をターゲットにした
ストレッチ

大腰筋ストレッチ

1. 床にうつぶせになり、両手のひらと両肘を肩幅よりやや広めに置いて上体を支えます。

2. 左膝を体の外側へ引き上げます。このとき、腰が浮いて体が傾かないようにします。

3. 股関節や腰に無理がかからない程度まで引き上げたら、下半身は動かさず、肘を支点にしてゆっくりと上体を起こします。

4. 腰部に痛みが出なければ、さらに肘を伸ばして上体を起こします。反対側も同様に行います。

   ※膝の引き上げ範囲や上体起こしの程度に左右差がある場合、左右のアンバランスを意味しています。

1
床にうつぶせになり、両手
のひらと両肘を肩幅よりや
や広い位置に置き、上体を
支える。

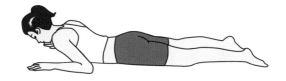

2
左膝を体の外側に引き上げ
る。股関節や腰に無理がか
からない範囲で、できるだ
け膝を引き上げる。この時、
腰が浮いて左に傾かないよ
うに注意。

3
肘を支点にして上体をゆっ
くりと起こす。顔はやや反
り気味にし、上体はまっす
ぐ前を向いているように。

4
腰部の圧痛がひどくなけれ
ば、さらに腕を伸ばして上
体を起こす。

※反対側も同様に行う。
　左右の伸展具合に大きな差を感じたら、それは左右のアンバランスを意味している。

腸骨筋ストレッチ

1. 仰向けに横たわり、左手を真横に伸ばします。右膝を立てて、左膝の左側に右足首がくるようにします。右手のひらで右膝の内側をおさえます。

2. 両腕を左右に開く感覚で、右膝を右側にゆっくり倒していきます。顔は左側に向けます。右の鼠径部（腸骨筋がある位置）が伸ばされているのを感じたら、そのまま 20 秒保持し、ゆっくりと元に戻します。
反対側も同様に行います。

1
仰向けに横たわり、左手を真横に伸ばす。右膝を立てて、その足先を左膝の左側に置く。左膝を右足首の「枕にする」イメージ。右手のひらで右膝の内側をおさえる。

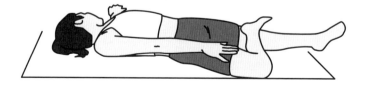

2
両腕を左右に開く感覚で、右膝を右側に倒していく。同時に顔を左側に向ける。右腸骨筋に伸展を感じたら、そのまま 20 秒保持して元に戻す。反対側も同様に伸展を行う。

その他の重要な関節、筋肉を ターゲットにしたストレッチ

股関節ストレッチ

1. 仰向けに横たわり、両足を伸ばします。

2. 片足の膝下を両手で抱えながら、ゆっくりと胸へ近づけてい きます。痛みが出ない程度にできるだけ引き付けたら、20 秒ほど 保持し、ゆっくりと 1 に戻ります。反対側の足も同様に行います。

3. 絵のように左手で右足を引き倒します。反対側も同様に行 います。

1
仰向けに横たわり、両足を伸ばす。

2
片足の膝下を両手で抱えなが ら、胸に近づけていく。無理 がないところまで引き付けた ら、そのままの体勢を 20 秒 ほど保持する。反対側の足も 同様に行う。

3
今度は、左手で右足を引き倒し、 足裏が浮くようにする。 反対側も同様に行う。

脊柱起立筋ストレッチ

1. 床に座り、左右の足裏を合わせて、できるだけ体のほうへ引き寄せます。ただし、股関節や太ももに無理がかからない程度に。
   このとき猫背にならないよう、背すじを伸ばし、顔をまっすぐ前に向けます。

2. 上体をまっすぐに保ったまま、腰から折り曲げるように前屈させていきます。腰～背中～頭頂部まで一直線に保つイメージで行います。背中が伸ばされているのを感じたら20秒ほど保持します。

1
床に座り、左右の足の裏を合わせて体側に引き寄せる。ただし、股関節や太ももに無理がかからない程度に。背筋を伸ばし、顔はまっすぐ前に向ける。

2
そのまま上体を腰から前屈させていく。腰から脊椎、頭頂部までを一直線に保持するイメージで。背部の起立筋の伸展を感じたところで20秒ほど保持する。

悪い例
頭部は脊椎と一直線になるようにし、首を前屈させたり、背中を丸めたりしないように。なお、この運動は起立筋のストレッチが目的なので、股関節や下肢の筋肉群に無理がかからないように行うこと。

腰方形筋ストレッチ

1. 仰向けに横たわり、右膝を立てます。

2. 右手を真横に伸ばし、顔も右に倒し右手の指先を見るようにします。左手は右足の外側を軽くおさえるようにします。

3. 左手で右足をゆっくり引き倒していきます。このとき腰や背中の右側が浮かないよう注意してください。お尻〜腰の右側（腰方形筋の位置）が伸ばされるのを感じたら 20 秒保持して、ゆっくり元に戻します。反対側も同様に行います。

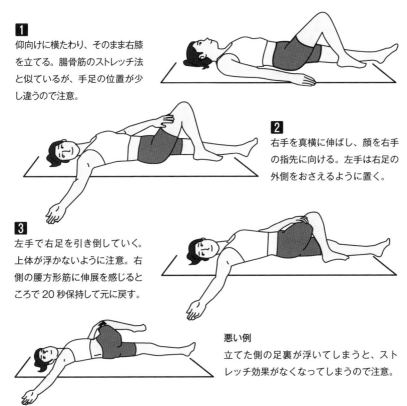

1
仰向けに横たわり、そのまま右膝を立てる。腸骨筋のストレッチ法と似ているが、手足の位置が少し違うので注意。

2
右手を真横に伸ばし、顔を右手の指先に向ける。左手は右足の外側をおさえるように置く。

3
左手で右足を引き倒していく。上体が浮かないように注意。右側の腰方形筋に伸展を感じるところで 20 秒保持して元に戻す。

悪い例
立てた側の足裏が浮いてしまうと、ストレッチ効果がなくなってしまうので注意。

131

大腿二頭筋ストレッチ

1. 下のイラストのように座って片足を伸ばし、同じほうの手で
   つま先を持ちます。このとき、骨盤を後ろに倒さないように
   注意してください。太ももの裏側が伸ばされているのを感じ
   たら 20 秒保持して手を離します。反対側も同様に行います。

2. 反対側の手で伸ばした脚の指先を触ると、ストレッチ効果
   が増します。

1 座ってから片足を伸ばし、指先を
つかまえるようにする。この時、
骨盤を後ろに倒さないように注意。

2 反対の手で伸ばした足の指先
を触ると、より効果が増す。

おわりに

　本書はつるた療法初の実践本ということで、今まで当院にて開催してきたセミナーの内容をブラッシュアップし、つるた療法の理論と手技の基本をまとめました。

　治療家から一般の方まで、つるた療法に興味をもってくださるすべての方に理解いただけるよう、できるだけかみくだいて、また図版も多用した構成にしました。常にそばで開いて、見ながら練習できるよう、書籍や文字の大きさにも配慮したつもりです。

　しかし書籍という形であらわせるのはメソッドとしての動作の一部でしかありません。本文で述べたとおり、つるた療法で最も重要なのは「手のひらの感覚に集中すること」。しかしどうすれば集中できるのかは、皆さんが実践を繰り返すことでしか習得できないと考えます。これは車の運転しかり、スポーツしかり、頭で分かったからといってできるようになるものではないことと同じです。

　はじめはうまくいかないかもしれませんが、何度も行っていくうちに感覚が研ぎ澄まされていくのを実感できます。そして、「痛みの元」が分かるようになってくるのです。

　痛みは骨の問題ではないことを、本書を読んでくださった皆さんはすでに理解しています。奢った言い方かもしれませんが、股関節痛や膝痛をはじめとした、西洋医学では手術しか根治療法がないとされている症状も、私にとってみれば深刻に値するものではありません。痛みを消す力は、ほかでもない患者さん自身に備わっているからです。その自然治癒力を引き出すのが、つるた療法の真髄であります。

　痛みで杖をついてつらそうだった患者さんが、帰るときには「自

分で歩ける」と涙を流す、そんな感動的なシーンを数えきれないほ
ど目の当たりにしてきました。皆さんにもぜひ、目の前の方の痛み
が癒やされ笑顔になる、そんな治療者冥利に尽きる瞬間にこれから
たくさん、立ち会っていただきたいと願ってやみません。

【著者】

鶴田 昇（つるた・のぼる）

湘南スポーツ整体院院長、つるた療法普及協会会長。

ボクシングトレーナーから治療家に転向し、当初、スポーツによる障害をケアするスポーツ整体を行う。その後、ある患者の施術をきっかけに、「腰・膝・股関節などの痛みは、腸腰筋と呼ばれる筋肉の疲労が原因である」ことに気づき、独自の手当てを基本にした「つるた療法」を考案。

これまでの施術例は 7,500 件以上にのぼり、口コミで訪れる患者があとを絶たず、病院の治療で改善しない人たちの救世主的な存在になっている。現在では「つるた療法」普及に向けて、講習会・セミナーなども開催。

著書に『腸腰筋症候群 その腰痛はこうして治せ！』(杉並けやき出版)、『腰・膝・股関節の痛みは、「手術なし」で消える！』(現代書林)、『「手術なし」で股関節の痛みは治る！―変形性股関節症・臼蓋形成不全』(現代書林)、『人工股関節手術不要論 痛みの本当の原因は「腸腰筋症候群」』(現代書林) がある。

本書についての
ご意見・ご感想はコチラ

腰・膝・股関節の痛みを改善！
治療家のための「つるた療法」実践読本

2021年5月14日　第1刷発行

著　者　　鶴田 昇
発行人　　久保田貴幸

発行元　　株式会社 幻冬舎メディアコンサルティング
　　　　　〒151-0051　東京都渋谷区千駄ヶ谷4-9-7
　　　　　電話　03-5411-6440（編集）

発売元　　株式会社 幻冬舎
　　　　　〒151-0051　東京都渋谷区千駄ヶ谷4-9-7
　　　　　電話　03-5411-6222（営業）

印刷・製本　瞬報社写真印刷株式会社
装　丁　　後藤杜彦
装　画　　岩佐和哉

検印廃止